MÉTODO DE ESPAÑOL PARA EXTRANJEROS

PRISMA

CONSOLIDA (C1)

PRISMA DE EJERCICIOS

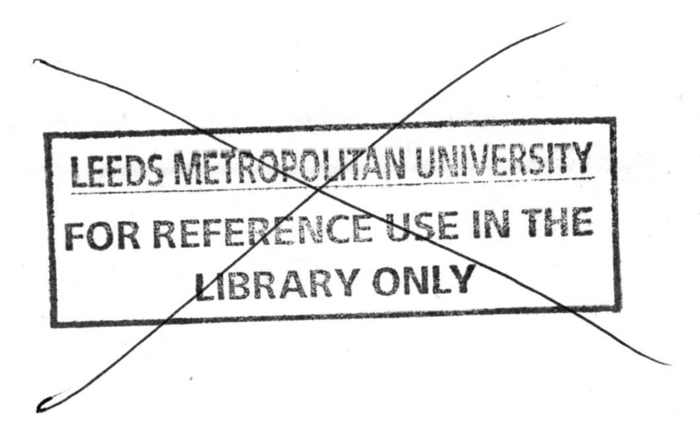

Manuel Martí Sánchez

Beatriz Expósito de la Torre

EDITORIAL EDINUMEN

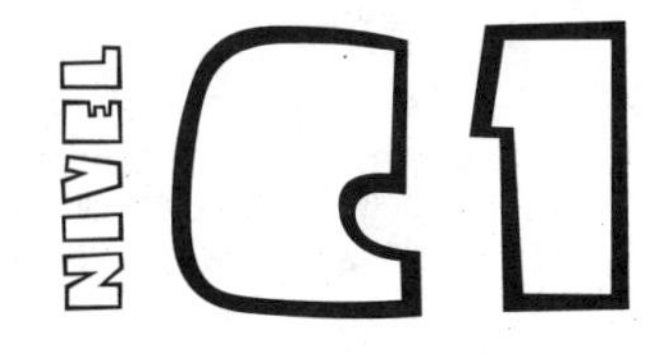

ISBN 84-95986-77-9
Depósito Legal: M-43297-2005
Impreso en España
Printed in Spain

Coordinación pedagógica:
María José Gelabert

Coordinación editorial:
Mar Menéndez

Diseño de portada:
Juan V. Camuñas y Juanjo López

Diseño y maquetación:
Juanjo López

Impresión:
Gráficas Glodami. Coslada (Madrid)

Editorial Edinumen
José Celestino Mutis, 4. 28028 - Madrid
Tels.: 91 308 51 42 - 91 319 85 37
Fax: 91 319 93 09
e-mail: edinumen@edinumen.es
www.edinumen.es

Introducción

Este Libro de ejercicios aspira a ser útil a estudiantes y profesores; pero no en el sentido elemental de servir a unos y a otros como colectivos separados. Nuestra aspiración va más allá; pues, rompiendo un poco la rigidez de la división, queremos contribuir a que los estudiantes se hagan profesores y estos, estudiantes. Nos explicamos. Un estudiante se aproxima al profesor cuando asegura y aumenta sus conocimientos, cuando los hace más reflexivos y puede dar cuenta mejor de ellos. Un profesor se vuelve estudiante, cuando rejuveneciéndose siente un interés nuevo por la materia que enseña, cuando percibe la máxima socrática del "yo solo sé que no sé nada" y la necesidad siempre de aprender.

Para ello hemos propuesto un conjunto de ejercicios básicamente gramaticales, aunque en aquellos basados en textos aparecen también cuestiones de léxico. Los ejercicios se han ordenado de acuerdo con las unidades del Libro del alumno *(Prisma C1)*. Los ejercicios no se han graduado, aunque evidentemente los hay más fáciles y más difíciles. No tardarás en darte cuenta de la dificultad de algunos y la facilidad de otros; pero, respecto a estos últimos, no te fíes, pueden ser igualmente útiles, aparte de que las apariencias engañan.

La ordenación de los ejercicios según las unidades del Libro del alumno, a veces, no ha sido del todo geométrica, y te avisamos de que no será excepcional que en una unidad se encuentren ejercicios que podrían haber aparecido en otra. Una razón fundamental de que haya sucedido así se encuentra en la propia naturaleza de la gramática. Un famoso lingüista suizo, F. de Saussure, decía que "la lengua es un sistema donde todo está relacionado". Lo comprobarás en seguida en cuanto te pongas con los ejercicios. De este modo verás, por ejemplo, que el estudio de las concesivas no puede hacerse al margen de la distinción indicativo/subjuntivo. O que, por poner un segundo ejemplo, los usos de *ser* y *estar* penetran en el territorio de las perífrasis verbales. Otra razón de la ausencia de una separación clara entre los contenidos de algunos ejercicios se debe a la propia naturaleza de las unidades. Algunas presentan una materia netamente gramatical (condicionales, concesivas, finales y causales, pretéritos de indicativo...), pero otras son sobre todo comunicativas (el discurso referido, la expresión de las hipótesis). Este hecho se traduce siempre en entrecruzamientos. Por ejemplo, es imposible dejar fuera del discurso referido la subordinación sustantiva, tratada en otra unidad diferente.

Teniendo en mente la aspiración con la que comenzaba este prólogo, los ejercicios están guiados por tres grandes fines: fijar los conocimientos, mejorar nuestra competencia comunicativa y despertar el interés por el español. Solo lo que se conoce, se ama; solo lo que interesa, mueve al esfuerzo. Todos somos muy prácticos, y para realizar un esfuerzo, necesitamos sentir que merece la pena, que al final recibiremos una recompensa de verdad.

Convencidos de estas ideas, nos hemos extendido en las claves de los ejercicios de un modo que no es habitual en libros de esta índole. Este es un libro para personas ya con una madurez mental, con una mayoría de edad; y los intelectualmente adultos necesitamos conocer el porqué de las soluciones. No nos basta con que estas se nos den simplemente, esto puede aburrir; buscamos esa explicación que nos permita también aprender a encontrar la respuesta por nosotros mismos. Esa explicación es la que se ha intentado proporcionar en las claves. Además, si las lees con la profundidad que nos gustaría, quizá descubras algún secreto de las lenguas, como que detrás de cada una de ellas está todo un trabajo de la mente humana que cada comunidad según los casos ha depositado en su lengua. Cuando uno se acerca a una lengua, no puede por menos sentir admiración y respeto por el valor de alguna de sus distinciones, de algunas categorías.

Una observación final. Este Libro de ejercicios no puede hacerse sin el Libro del alumno, cuya consulta deberá ser habitual. Además, y como te ha demostrado el propio Libro del alumno, habrás visto que, cuando se avanza en el conocimiento de la gramática, el conocimiento de la terminología comienza a ser imprescindible. Es lógico; esto le pasa a toda persona que comienza a hacerse técnico en una materia. Así, para hacer los ejercicios necesitarás tener claro el concepto que encierran términos como *sintagma, oración principal* y *subordinada, determinantes, objetos* (o *complementos*) *directo* o *indirecto*... Y algunos más. También el Apéndice Gramatical que aparece al final del libro de ejercicios te será gran ayuda.

Este ha sido el espíritu que ha guiado este libro de ejercicios y claves. Nos sentiremos muy felices si tras su consulta, alguno de vosotros llega a compartirlo y lo lleva a su trabajo en el aula.

Manuel Martí Sánchez
Beatriz Expósito de la Torre

Sumario

Ejercicios:

Unidad 1: El humor

Ser y estar

1.1. **Escoge algún personaje famoso para caracterizarlo empleando *ser* y *estar* dos veces cada uno. Por ejemplo:**

Fernando Alonso es un joven piloto de carreras y es asturiano. Actualmente está de líder en la Fórmula 1 y a principios de la temporada estuvo muy enfadado con el piloto alemán Michael Schumacher.

Seguro que, tras realizarlo, refuerzas tu idea sobre la relación entre *ser* y lo permanente, lo habitual, y *estar* y lo accidental, lo que pertenece a un momento, lo que antes no era así.

¿Se te ocurre alguna respuesta al ejemplo *Aquel hombre está muerto*, a menudo citado por los expertos contrarios a explicar el empleo de los dos verbos por estas asociaciones?

1.2. **No todos los adjetivos pueden combinarse indistintamente con *ser* y *estar*. Comprueba cuáles de estos adjetivos van con *ser* y cuáles con *estar*:**

harto	cauto	cortés ....
lleno	presente	vacío ....
solo	inteligente	odioso ....
descalzo	desnudo	indiscreto ....
borracho	contento	absorto ....
leal	andaluz	cuidadoso ....

¿Se te ocurre alguna explicación de esta diferencia de comportamiento? Fíjate en el significado de estos verbos y mira en cuáles este se halla limitado temporalmente.

1.3. **Siguiendo con estos adjetivos, fíjate en que algunos no admiten ir con el verbo *llegar* y otros, sí (*Llegó absorto* pero **Llegó leal*[1]). ¿Podrías sacar alguna norma nueva respecto a los usos de *ser* y *estar*?**

1.4. **Escoge *ser* o *estar* para rellenar los siguientes huecos. Harás mucho mejor el ejercicio si conoces bien el significado de las locuciones que aparecen.**

1. Ese jugador .... del Madrid.
2. .... esta mañana de mal humor.
3. El susto .... de agárrate y no te menees.
4. El anillo .... de oro y brillantes.
5. Mi compañero es un inestable, ... siempre a merced de las circunstancias.
6. Ese jarrón .... de mírame y no me toques.

1.5. **Diferencia entre estas parejas:**

ser/estar tonto — ser/estar listo — ser/estar malo — ser/estar bueno
ser/estar católico — ser/estar seco — ser/estar despierto

¿En qué casos el significado del adjetivo varía?

1.6. **¿Qué preferirías que te dijeran?**

☐ *Estás muy sabio*	o	☐ *eres muy sabio*	☐ *Estás muy joven*	o	☐ *eres muy joven*
☐ *Estás listo*	o	☐ *eres un listo*	☐ *Estás fresco*	o	☐ *eres un fresco*

[1] El asterisco (*) indica que la frase es incorrecta.

1.7. **Después de recordar su significado, emplea las siguientes frases hechas con *ser* o *estar* para completar los siguientes enunciados:**

ser un pez gordo • ser un don nadie • estar pez • ser el que corta el bacalao • estar como una regadera • está en lo que estás • ser alguien • ser un mindundi

1. Haz el favor de no distraerte, ...
2. Sueña ese chico con .... en su empresa.
3. Si quieres que te resuelvan el problema, habla con Pedro ....
4. Ese que ves ahí en bermudas y chanclas .... del banco.
5. Me suspenden seguro, ... en competencia auditiva.
6. ...., me tienen marginado.
7. No le hagas ni caso, solo dice disparates, ...
8. Ese ...., ni pincha ni corta, no te creas sus promesas.

1.8. **Teniendo en cuenta las posibilidades mencionadas en el libro (3.4.1.), construye enunciados en los que se enfatice una información ya dada a partir de estos ejemplos. Fíjate que las posibilidades son varias de acuerdo con aquello que quiere enfatizarse *(Vi a Isabel en el cine el martes. → A quien vi en el cine fue a Isabel, Donde vi a Isabel fue en el cine, El martes fue cuando vi a Isabel en el cine):***

1. Tania fue al cine con Sara. → ....
2. Ha venido de Venezuela. → ....
3. Pío Baroja nació en San Sebastián. → ....
4. Nuria es enfermera. → ....
5. Aprobó las oposiciones de juez. → ....
6. No pudo entrar en el país por no tener visado. → ....
7. Perdió el trabajo porque discutió con su jefe. → ....

1.9. **Convierte en pasivas con *ser* y *estar* procurando mantener la máxima fidelidad con las oraciones activas que aparecen a continuación. Fíjate cuando lo hagas en que los tiempos verbales de ambas pasivas a veces no coinciden:**

La policía ha detenido a José Luis. → José Luis ha sido detenido. → José Luis está detenido.

1. Resolvió el problema. → ....
2. Ha terminado la tarea. → ....
3. Había visto el asunto. → ....
4. Cantó un *rap*. → ....
5. Pintará la fachada. → ....

1.10. **En el Libro del alumno (pág. 25) se menciona que la voz pasiva se explica por necesidades de coherencia discursiva, por fortalecer la relación entre un enunciado y el precedente. Teniendo en cuenta el enunciado que te damos como precedente, intenta construir su continuación con los datos que te proporcionamos entre paréntesis. Deberás decidir si esta oración irá en activa o pasiva. Por ejemplo:**

Vi el otro día a mi amigo Juan. (Dr. Fernández, operar, mi amigo Juan). → Vi el otro día a mi amigo Juan. Mi amigo Juan había sido operado por el Dr. Fernández.

Hemos elegido la voz pasiva porque es la manera de que la oración que encabeza coloque en primer lugar a *Juan*, que representa la información ya conocida por el oyente.

Ahora te toca a ti decidir la forma de la oración siguiente con los datos entre paréntesis:

1. La policía llegó al lugar del crimen. (la policía, encontrar, un herido).
2. El herido se llamaba Pedro. (un desconocido, disparar, el herido).
3. Vi una película de ciencia-ficción. (Spielberg, dirigir, la película).
4. Encima de mi mesa, había una bonita maqueta. (mi amigo Raúl, construir, la maqueta).

1.11. **Hace años hubo una polémica acerca de la existencia de la pasiva con *ser* y su distinción de las oraciones copulativas. Sin entrar en este problema, a veces puede existir la duda de si un enunciado es pasivo o copulativo dependiendo de cómo se interprete el participio. Es lo que sucede con *El mueble es alargado*, donde sin más indicación no sabemos si *alargado* es un adjetivo que describe una propiedad del mueble o si *alargado* es un participio que, junto a *ser*, expresa que una acción de alargamiento se ha realizado sobre el mueble. De acuerdo con estas observaciones, examina los siguientes enunciados y describe sus significados señalando las posibles ambigüedades:**

1. La leche está bebida.
2. Isabel está bebida.
3. Los reyes de España fueron honrados.
4. El problema fue complicado.
5. Su voz fue callada.
6. Pedro es callado.
7. Está atacada.

1.12. **Existen algunas perífrasis verbales con el verbo *estar*. Explica estos ejemplos y construye algunos con estas mismas perífrasis.**

1. Está para encerrarlo.
2. Está al caer el tanto del empate.
3. Estoy por marcharme: no aguanto más.
4. Está trabajando esta temporada en Francia.
5. Tu mujer y tu hijo están muriéndose de hambre.
6. Está resuelto por fin el problema.

1.13. **Además de *ser* y *estar* existen otros verbos para expresar la voz pasiva. Teniendo en cuenta estos ejemplos, el ejercicio consiste en reemplazarlos por pasivas con *ser* o *estar* señalando las posibles diferencias.**

1. El enfermo se encontraba afectado por un mal desconocido.
2. Jaime se ha visto injustamente tratado.
3. La cosecha resultó arrasada por la granizada.
4. Permanecen sepultados por la lava varios poblados.
5. Mi amigo se sintió burlado por ese partido político.

1.14. **Observa estos ejemplos con verbos próximos a *ser* y *estar*. Describe su significado. Señala en qué casos puede aparecer *ser* y en cuáles *estar*.**

1. Isabel se ha vuelto de izquierdas.
2. Idoya sigue de mal humor.
3. Pedro se ha puesto hecho una furia.
4. Juanma se ha hecho ecologista.
5. Tras pagar a Hacienda, Esther María se ha quedado a dos velas.
6. Antonio anda enfadado.
7. Lleva unos días ausente.

1.15. **Las oraciones copulativas con *ser* ofrecen peculiaridades a la hora determinar el responsable de la concordancia con el verbo, pues a veces este es el atributo, no el sujeto. "Mi infancia son recuerdos de un patio de Sevilla..." es el comienzo de un famoso poema de Antonio Machado. Indica cuál te parece que es la concordancia preferida en estos ejemplos. Intenta justificar tu respuesta:**

1. Era inquietante las palabras que nos dirigió./ Eran inquietantes las palabras que nos dirigió.
2. Ese de la foto {soy/es} yo.
3. Las chuletas de cordero {es/son} mi plato preferido.
4. Todos esos {son/es} la familia de mi mujer.
5. Ese cuento de su enfermedad {son/es} solo excusas.
6. Lo ocurrido {son/es} cosas que le pueden pasar a cualquiera.
7. Veinte años no {es/son} nada.

Aunque se salga de estos ejemplos, ¿cómo dirías *Una docena de personas {están/está} {heridas/heridas} tras el accidente?*

1.16. **Sustituye por el sinónimo que te parezca más oportuno los distintos ejemplos de *ser* y *estar*. ¿Te parecen empleos normales de *ser* y *estar*? ¿Hay atributo?**

1. Estate quietecito.
2. Eso será si yo quiero.
3. La salida es ahí.
4. La reunión fue en el despacho del director.
5. La boda será el sábado a las ocho.
6. Érase una vez.
7. Ha sido por tu culpa.
8. Está por Extremadura.

1.17. **Los verbos *ser* y *estar* han ayudado a algunos pensadores en sus reflexiones. El poeta griego Píndaro escribió una famosa frase: "Sé el que eres". ¿Qué te parece que quiso decir? Ahora te proponemos que leas este párrafo fijándote en los usos de *ser* y *estar*:**

No se trata de juzgar lo que uno ha hecho, sino lo que uno es. Y somos tan poco... ¿Hay motivos para juzgar? El remordimiento, la mala conciencia o la vergüenza suponen que se podría haber actuado de otra manera y mejor. "Podría estar mejor", con esta fórmula, el maestro acusa más que anima; es lo mismo que dice el remordimiento. La humildad diría más bien: "Esto es lo que puede hacerse". Es demasiado humilde para acusarse o disculparse y demasiado lúcida para avergonzarse. Una vez más, la humildad y la misericordia van juntas y el valor no tiene necesidad de ánimos. El remordimiento es un error más que una falta. La humildad es un saber antes de ser una virtud. Es un triste saber, si se quiere. Pero es más útil al hombre que una alegre ignorancia. Más vale despreciarse que estar equivocado.

André Comte-Sponville: *Pequeño tratado de las grandes virtudes*, Espasa.

a. **En el fragmento hemos subrayado tres palabras que deberás definir. Si te fijas, giran alrededor del sentimiento de culpa, ¿conoces más palabras que tengan que ver con este sentimiento?**

b. **Naturalmente, el español también cuenta con nombres para sentimientos relacionados con la autoestima, que pueden encerrar un juicio negativo sobre la persona a quien se aplican (*soberbia* es un ejemplo). Cita cuatro e intenta pensar en alguna frase hecha que tenga que ver con ello. Te ofrecemos un ejemplo: *dárselas de sabio*, que significa presumir de algo que seguramente no se posee, al menos en el grado en que se cree.**

c. **Ordena los adjetivos correspondientes a: *vergüenza, humildad, misericordia, culpabilidad, ufanía, presunción, vanidad,* de acuerdo con sus peculiaridades significativas. Señala también los adjetivos opuestos (antónimos) a los que te hayan salido. Construye con ellos ejemplos empleando *ser* y *estar*.**

1.18. **Aquí tienes otro texto de un pensador español, Julián Marías, que ha reflexionado mucho acerca de nuestra pareja de verbos.**

Hay además otro problema: es la dificultad de traducir las frases más importantes de Heidegger. Hay una frase famosísima, citada mil veces, según la cual, dice Heidegger, que el hombre es "sein zum Tod", lo cual se traduce invariablemente como "ser para la muerte". Lo único es que esto no quiere decir en alemán "ser para la muerte"; porque la palabra *sein*, que quiere decir ciertamente "ser", quiere decir otras cosas, quiere decir "estar", los alemanes no dicen "estar" porque no tienen el verbo estar. Yo he dicho a veces que darían una de las pocas provincias que les han quedado por tener los verbos: *ser, estar* y *haber*, tres maravillosos verbos para hacer filosofía.

Pero, claro, ser es ser o estar. Los libros de gramática –en general– dicen que "ser" es lo esencial, lo fundamental, lo permanente, mientras que "estar" es lo pasajero, lo transitorio, lo que es un estado momentáneo... Yo me pregunto si cuando rezamos el padrenuestro y decimos: "Padre nuestro, que estás en los cielos...", ¿queremos decir que está de veraneo? Me parece que no, si algo es permanente es ese estar en los cielos. Como ven ustedes, tiene un sentido radical, real, muy real. Yo he hecho una observación empírica, sin importancia ninguna, pero es bastante iluminadora: cuando a una mujer se le dice que es muy guapa, lo agradece, pero agradece más que le digan "estás muy guapa": al decirle que "es muy guapa" se elogia su belleza, su calidad estética; cuando uno le dice a una mujer "estás muy guapa" quiere decir "te estoy encontrando realmente muy guapa", lo cual es algo concreto, real, eficaz...

Julián Marías.

a. ¿Qué diferencias ves entre *El hombre es un ser para la muerte* y *El hombre es un estar a la muerte*? Seguro que no te parecen lo mismo. Esto te llevará a pensar sobre lo que supone a veces traducir y en los recursos que para traducir en tu idioma existen para marcar la diferencia entre los dos verbos copulativos españoles.

b. Por otro lado, el autor sostiene que una mujer agradece más que le digan *está muy guapa* que *es muy guapa*. ¿Estás de acuerdo? Recuerda lo que defendiste en 1.6.

Claves

Unidad 1: El humor

1.1. Esta es nuestra propuesta:

Julio Iglesias es un cantante español y su padre es el Dr. Iglesias Puga. Está en Miami desde hace muchos años y su carrera no está actualmente en su mejor momento.

Estar muerto es una situación bien permanente, no puede modificarse una vez producida. Esto contradice la idea general de los predicados con *estar*. Sin embargo, si se profundiza, encontramos dos datos que sí la apoyan: *estar muerto* es el resultado de un cambio (para estar muerto antes ha de haberse estado vivo); y, aunque sea una situación irreversible, para el hablante *estar muerto* es una situación, que, como tal, no se representa en su mente como algo inamovible.

1.2. Se combinan solo con *ser: leal, andaluz,* que representan cualidades permanentes, que sirven para definir a los sujetos a las que se atribuyen. Se combinan solo con *estar: harto, lleno, presente, vacío, descalzo, desnudo, contento, absorto.* Todos ellos representan situaciones, limitadas temporalmente; por tanto, sujetas a desaparecer tras un determinado cambio.

Con los dos verbos son posibles los demás adjetivos, lo que vamos a ver con cierto detalle, pues son precisas las matizaciones.

Cauto normalmente solo va con *ser,* ya que se trata de un rasgo definitorio de una personalidad, no de una situación circunstancial. Con *estar* resulta extraño, a no ser que vaya cuantificado con *muy, más... (Estás hoy muy cauto; Isabel está cada día más cauta)* y lleve algún complemento temporal. Esta explicación es válida asimismo para *cortés, inteligente, odioso, indiscreto* y *cuidadoso*. En estos casos, cuando el adjetivo contiene una valoración positiva y se combina con *estar* en construcciones del tipo *estás hoy muy* X, el mensaje transmite implicaciones de carácter irónico y crítico hacia el destinatario.

El caso de *solo* es más complejo. Es un adjetivo que se combina típicamente con *estar (Está solo).* Con *ser* puede aparecer en contextos donde hay que especificar que una determinada persona viene sola y no acompañada *(Él es solo).* No debe confundirse estos casos con aquellos en que *solo* es el adverbio *solo* ('solamente'). *Él es solo un pobre hombre.*

Borracho, por razones conocidas se combina normalmente con *estar*. Con *ser* es muy raro, a no ser que se sustantive con el enfático *un (Es un borracho)*. De la explicación se deduce que *borracho* cuando es adjetivo (como *bebido*) pide *estar*; y cuando es sustantivo, *ser*.

1.3. Los adjetivos que funcionan como predicativos con *llegar* son los que exigen o prefieren claramente *estar*.

1.4. Este sería el resultado: **1.** Ese jugador **es** del Madrid; **2. Está** esta mañana de mal humor; **3.** El susto **fue** de agárrate y no te menees (= 'muy grande'); **4.** El anillo **es** de oro y brillantes; **5.** Mi compañero es un inestable, **está** siempre a merced de las circunstancias; **6.** Ese jarrón **es** de mírame y no me toques (= 'muy delicado').

1.5. En este ejercicio, es válida la explicación general de que con *ser* las propiedades representadas por los adjetivos no están limitadas temporalmente; mientras que con *estar*, sí. Sin embargo, con ella sola, perderíamos de vista el cambio de significado que experimentan a menudo estos adjetivos cuando se combinan con *estar*.

- *Ser tonto* es poseer por naturaleza tal defecto; *estar tonto* se refiere a una situación circunstancial, que se valora críticamente.
- *Ser listo* es contar con esta cualidad, como rasgo que define la personalidad del sujeto. *Estar listo* es una frase hecha que significa 'estar preparado para algo'.

- *Ser bueno* es poseer esta cualidad moral. *Estar bueno* alude a encontrarse bien de salud. En algunos contextos, con una entonación exclamativa adecuada, puede emplearse irónicamente para reprobar a alguien por su conducta en un momento concreto *(¡Estás bueno!)*. Curiosamente, en contextos informales es corriente para indicar que el sujeto es atractivo físicamente *(Saray está buena, Juanjo está buenísimo)*.
- *Ser católico* comunica la pertenencia a esta iglesia; *estar católico,* empleado normalmente en oraciones negativas, significa encontrarse bien *(No está nada católico hoy)*.
- *Ser seco* es una información sobre el carácter de una persona, que se estima antipática. *Estar seco* señala falto de humedad, sin agua. En situaciones informales, sobre todo cuando el sujeto coincide con el hablante *(Estoy seco),* se comunica la necesidad de beber algo, en no pocas ocasiones, alcohol.
- Como en el ejemplo precedente, *ser despierto* se refiere a que el sujeto es una persona espabilada. *Estar despierto* (que no es sinónimo del anterior *estar listo*) es lo contrario de *estar dormido*.

1.6. Sabemos ya que con cualidades positivas lo deseable es ser calificado con *ser*; y si son negativas, con *estar*. Tal idea es perfectamente aplicable a los dos primeros ejemplos {*ser/estar*} {*muy sabio, muy joven*}; pero no en los dos últimos. Ya sabemos lo que significa *Estás listo* (ejercicio 1.5.); *Eres un listo* es un predicado irónico que se dice de alguien que se excede en su astucia y los otros se han dado cuenta de ello. Existen como frases hechas próximas *Dárselas de listo, Pasarse de listo* e *Ir de listo*.

Estar fresco indica que algo (un alimento, por ejemplo) se conserva en buen estado; o que alguien se halla al resguardo del calor. Ocurre que, a veces, este predicado significa irónicamente que el sujeto está equivocado en su creencia de que determinado hecho es favorable *(Estás fresco si crees esto)*. *Ser un fresco* caracteriza a alguien como aprovechado o/y atrevido. Su significado está próximo a *Ser un listo*.

1.7. Explicamos el significado de las frases hechas y a su lado el enunciado donde deben aparecer:

1. Está en lo que estás: mensaje que se dirige al interlocutor para que no pierda la concentración. Haz el favor de no distraerte, **está en lo que estás.**

2. Ser alguien: así, en infinitivo, representa la aspiración de alcanzar una consideración social *(Quiero llegar a ser alguien en la vida)*. Sueña ese chico con **ser alguien** en su empresa.

3. Ser el que corta el bacalao: 'ser la persona que decide dentro de un grupo, el líder'. Próxima a esta expresión, está *Ser el mandamás*. Si quieres que te resuelvan el problema, habla con Pedro, **es el que corta el bacalao.**

4. Ser un pez gordo: coloquialmente, 'poseer un estatus elevado'. Ese que ves ahí en bermudas y chanclas **es un pez gordo** del banco.

5. Estar pez: en el argot estudiantil, 'ignorar casi todo en una determinada materia'. Quizá haya caído en desuso, en beneficio de otras expresiones como *Estar pegado*. Me suspenden seguro, **estoy pez** en competencia auditiva.

6. y **8.** Ser un don nadie, un mindundi (esta palabra propia de la lengua coloquial, no la registra el Diccionario de la RAE): 'carecer de relevancia social'. **Soy un don nadie**, me tienen marginado./Ese **es un mindundi**, ni pincha ni corta, no te creas sus promesas.

7. Estar como una regadera: humorísticamente, 'estar mal de la cabeza'. Una expresión sinónima es *Estar como una cabra*. No le hagas ni caso, solo dice disparates, **está como una regadera.**

1.8. Estas son las transformaciones que proponemos: **1.** Quien fue al cine con Sara fue Tania, con Sara fue con quien fue Tania al cine, Adonde fue Tania con Sara fue al cine; **2.** De donde ha venido ha sido de Venezuela; **3.** Quien nació en San Sebastián fue Pío Baroja, Donde nació Pío Baroja fue en S. Sebastián; **4.** Lo que Nuria es es enfermera, Enfermera es lo que es Nuria; **5.** Las oposiciones que aprobó fueron las de juez, Lo que aprobó fueron las oposiciones de juez; **6.** Si no entró en el país fue por no tener visado; **7.** Si perdió el trabajo fue porque discutió con su jefe.

1.9. Al igual que hay más posibilidades de que la oración copulativa vaya con *ser*, también las oraciones pasivas se construyen más frecuentemente con este verbo. Las pasivas con *estar*, además de ese interés por el resultado, las caracterizan determinadas restricciones de uso. Por ejemplo, no pueden aparecer con verbos cuya acción no ha concluido (imperfectivos) y cuyo sujeto no es estrictamente un paciente, sino una persona que experimenta la acción verbal (**está conocido*, **está amado*...).

Finalmente, hay que tener en cuenta que frecuentemente la pasiva con *estar* en tiempo verbal simple se corresponde con la pasiva con *ser* en tiempo compuesto: **1.** El problema fue resuelto; El problema está resuelto; **2.** La tarea ha sido terminada; La tarea está terminada; **3.** El asunto había sido visto; El asunto estaba visto; **4.** Un *rap* fue cantado; Un *rap* está cantado; **5.** La fachada será pintada; La fachada estará pintada.

1.10. Así podrían quedar estas oraciones: **1.** La policía encontró a un herido; **2.** El herido había sido disparado por un desconocido; **3.** La película había sido dirigida por Spielberg; **4.** La maqueta había sido construida por mi amigo Raúl.

El orden de palabras en español ofrece muchas posibilidades, que se explican por un conjunto complejo de factores, por lo que podría haberse optado por otras continuaciones.

1.11. Examinamos los ejemplos:

1. La leche está bebida: es una oración pasiva, como se ve claramente si le añadimos un complemento agente *(La leche está bebida por la niña).*
2. Isabel está bebida: 'está borracha'. No admitiría nunca un complemento agente, pero sí un complemento de causa *(Isabel está borracha por culpa de la cerveza).*
3. Los reyes de España fueron honrados: es un enunciado ambiguo. Puede ser una oración copulativa en la que se habla de la integridad moral de los reyes españoles *(Los reyes de España fueron honrados como ha probado la Historia)* o puede ser una oración pasiva *(Los reyes de España fueron honrados por los alcaldes de la provincia).*
4. El problema fue complicado: también existe ambigüedad. Si se está hablando de un problema complejo, la oración será copulativa *(El problema fue complicado por la gran cantidad de datos que en él se daban).* Si se comunica que un problema ha sido embrollado por la actuación de alguien, entonces la oración será pasiva *(El problema fue complicado por la intervención de María).*
5. Su voz fue callada: es una pasiva *(Su voz fue callada por el gobierno).*
6. Pedro es callado: normalmente, es una oración copulativa en la que se califica a Pedro de silencioso o taciturno.
7. Está atacada: el enunciado es ambiguo. Puede significar como oración pasiva, algo forzada, 'es objeto de un ataque [por ejemplo, una ciudad]'. Y puede significar, en un uso propio de la lengua coloquial, que 'alguien se encuentra en una situación de estrés'.

1.12. Ocupémonos de estas perífrasis con *estar*:

1. Está para encerrarlo: a menudo exageradamente, 'no está bien de la cabeza, por lo que debe internársele en un establecimiento cerrado': *María se pasa el día hablando sola, está para encerrarla.*
2. Está al caer el tanto del empate: 'el gol del empate está próximo' (existen otras posibilidades en la jerga futbolística: *Está mascándose el tanto del empate): Después de esos dos tiros al poste, está al caer el tanto del empate.*
3. Estoy por marcharme: no aguanto más: 'están entrándome ganas de marcharme porque aquí no aguanto': *Fue tan aburrida aquella conferencia que estuve por marcharme.*
4. Está trabajando esta temporada en Francia: 'esta temporada la pasa trabajando en Francia': *Está terminando su tesis en Madrid.*
5. Tu mujer y tu hijo están muriéndose de hambre: 'se encuentran en esta situación que aumenta hacia su final': *Mi compañero está matándose a trabajar por terminar su tesis.*
6. Está resuelto por fin el problema: 'ha quedado resuelto': *Está por fin terminado el ejercicio.*

1.13. *Ser* y *estar* son verbos con escasa significación. A veces al hablante le interesa dar más información sobre lo sucedido con el sujeto paciente de las oraciones pasivas. Es lo que sucede en el ejercicio:

1. El enfermo se encontraba afectado por un mal desconocido. Podría haberse dicho también *estaba afectado* o *había sido afectado*. Con *encontrarse* no solo se menciona una acción sino la situación de ese enfermo.
2. Jaime se ha visto injustamente tratado. Jaime no solo ha sido injustamente tratado, sino que él ha percibido esta situación.
3. La cosecha resultó arrasada por la granizada. Aquí se añade la información del resultado producido por la granizada.
4. Permanecen sepultados por la lava varios poblados. Los hablantes no solo han sido sepultados, sino que esta situación perdura.
5. Mi amigo se sintió burlado por ese partido político. Quizá mi amigo haya sido burlado, pero de lo que se informa es de un sentimiento subjetivo.

1.14. Pasamos a comentar las peculiaridades de estas construcciones conocidas a menudo como *pseudocopulativas*, y su relación con las copulativas auténticas de *ser* y *estar*.

1. Isabel se ha vuelto de izquierdas: 'Isabel ha cambiado de ideología política' (se ha producido un cambio, a menudo poco fundamentado, en su filiación política) → *Isabel es de izquierdas.*
2. Idoya sigue de mal humor: 'continúa enfadada' (tal estado ha empezado antes y seguramente continuará) → *Idoya está de mal humor.*
3. Pedro se ha puesto hecho una furia: 'de repente, Pedro se ha enfadado muchísimo' (tal cambio anímico tiene un carácter repentino y violento') → *Pedro está hecho una furia.*
4. Juanma se ha hecho ecologista: 'se ha convertido en ecologista' (como en *se ha vuelto*, se alude poco respetuosamente a un cambio ideológico, generalmente algo sorprendente y poco razonable) → *Juanma es ecologista.*
5. Tras pagar a Hacienda, Esther María se ha quedado a dos velas: 'se ha quedado sin nada' (esta situación nueva es provocada por un suceso) → *Esther María está a dos velas.*

6. Antonio anda enfadado: 'se encuentra enfadado' (con *anda* se representa tal situación de modo más dinámico y vinculado a la sucesión temporal) → *Antonio está enfadado.*
7. Lleva unos días ausente: 'estos días parece distraído, en otro mundo', o bien 'lleva unos días fuera' (Se informa sobre un estado que ha empezado desde hace un tiempo) → *Está desde hace unos días ausente.*

1.15. En ocasiones una concordancia (con el sujeto o el atributo) se impone; pero en otras, no y son válidas las dos soluciones. Lo veremos en las respuestas:

1. Era inquietante las palabras que nos dirigió./Eran inquietantes las palabras que nos dirigió. La solución normal será la concordancia en plural: *eran inquietantes* porque el sujeto *(las palabras que nos dirigió)* está en plural. Sin embargo, el singular aparece cuando el hablante se representa las palabras que nos dirigió como una acción concreta, la amenaza.
2. Ese de la foto soy yo. Esta es la única concordancia posible.
3. Las chuletas de cordero {es/son} mi plato preferido. Aquí se admiten las dos concordancias, según si domina *las chuletas de cordero* como plato singular o como pluralidad.
4. Todos esos son la familia de mi mujer. Solo cabe la concordancia en plural, incluso alterando el orden *(la familia de mi mujer son todos esos).*
5. Ese cuento de su enfermedad {son/es} solo excusas. Caben las dos posibilidades, aunque parece más natural la concordancia en plural con *excusas.*
6. Lo ocurrido son cosas que le pueden pasar a cualquiera. Solo es posible esta concordancia.
7. Veinte años no {son/es} nada. Este enunciado admite las dos soluciones. Un famoso tango dice *Veinte años no es nada,* pero también es posible la concordancia en plural. La razón para decidirse por una u otra será si los veinte años se ven como una suma de años, o como un concepto unitario.

En este caso con una oración copulativa, la concordancia no es con docena sino con personas (*Una docena de personas están heridas*); pero tampoco es imposible la otra solución *(Una docena de personas está herida),* que es en abstracto la más correcta. La concordancia en singular con *docena* y no con su complemento con *de* aumenta en ejemplos como: *Una docena de personas apareció.*

1.16. Todos son usos de *ser* y *estar* conocidos como *predicativos,* ya que propiamente no hay atributo. La única excepción, y con reservas porque *estar* adquiere un sentido especial, la constituiría el primer ejemplo:

1. Estate quietecito → 'mantente quieto'.
2. Eso será si yo quiero → 'eso se producirá (= llegará a ser, a existir)'.
3. La salida es ahí → 'la salida se encuentra ahí'.
4. La reunión fue en el despacho del director → '{se realizó/se produjo} en el despacho del director'.
5. La boda será el sábado a las ocho → 'se celebrará a las ocho'.
6. Érase una vez → 'había una vez' (comienzo habitual de los cuentos infantiles).
7. Ha sido por tu culpa → 'ha ocurrido por tu culpa'.
8. Está por Extremadura → 'anda por Extremadura (situación imprecisa y seguramente transitoria)'.

1.17. La frase de Píndaro "Sé el que eres" parte de la idea de que todos nacemos con la posibilidad y la obligación de convertirnos en auténticas personas, lo que exige un esfuerzo. Si no se hace, no llegaremos a realizar nuestro propio ser.

Analizamos las apariciones de *ser* y *estar* en el texto:

- *Lo que uno es. Y somos tan poco...* Aquí *ser* como el verbo que apunta a nuestro yo más verdadero se opone a *tener* y a *hacer,* representantes de dimensiones más superficiales de las personas, aunque sean las que con más facilidad se valoran en la sociedad. Para entender esta explicación, podía pensarse en la frase *No somos nadie,* socorrido comentario ante la noticia de un fallecimiento sorpresivo y doloroso.
- *Podría estar mejor.* No se da un uso especial de *estar,* se refiere a una propiedad producida tras una actuación previa y, en la que quizá quepa la posibilidad de un nuevo cambio. Si hubiera dicho: *Podría ser mejor,* el hablante no opinaría desde la perspectiva del resultado de una acción, sino desde la de un juicio sobre la calidad de un trabajo que se considera ya terminado.
- *Esto es lo que puede hacerse.* Esta es una oración copulativa con *ser* llamada de identificación, en la que se establece una relación de identidad entre sujeto y atributo, por la que pueden intercambiar sus papeles *(Lo que puede hacerse es esto).*
- *Es demasiado humilde, el remordimiento es un error, la humildad es un saber, es un triste saber.* Estas oraciones con *ser* son ejemplos del otro gran tipo de estas oraciones, las de caracterización. En ellas se señala una cualidad del sujeto, fíjate que aquí la anteposición del atributo resulta más forzada.

a. Pasamos a definir las palabras subrayadas.
   - Remordimiento: 'Inquietud, pesar interno que queda después de ejecutada una mala acción'.

– Mala conciencia: 'Sentimiento culpable de no haber actuado moralmente, de tener alguna deuda'.

– Vergüenza: 'Turbación del ánimo, que suele encender el color del rostro, ocasionada por alguna falta cometida, o por alguna acción deshonrosa y humillante, propia o ajena'.

b. Otras palabras relacionadas con el sentimiento de culpa y, por tanto, con estas tres: *bochorno, culpabilidad, escrúpulos.*

– Palabras que tienen que ver con la autoestima, a veces excesiva e injustificada: *ufanía, presunción, vanidad.* A veces, *tontería* puede adquirir este sentido (*A ver si se le quita ya tanta tontería*). Frases hechas: *Tenérselo muy creído, [Estar] encantado de haberse conocido, Ser un fantasma.*

c. Así podrían ordenarse los adjetivos relacionados con estos nombres.

1. Adjetivos relativos a la baja consideración de uno mismo:

   Vergüenza → vergonzoso → desvergonzado, sinvergüenza → *Ese niño es muy vergonzoso.*

   Humildad → humilde → soberbio → *Tras la reprimenda de ayer, está muy humilde.*

   Culpabilidad → culpable → inocente → *Ernesto es el culpable.*

2. Adjetivos relativos a la alta consideración de uno mismo:

   Ufanía → ufano, arrogante → modesto → *Está muy ufano de sus triunfos.*

   Presunción → presumido, presuntuoso, orgulloso → modesto, acomplejado, inseguro → *Es muy presumido, Está orgullosa de sus hijos.*

   Vanidad → vanidoso, vano, hinchado → modesto, realista → *Es muy vanidosa, Es una persona vana, Está hinchado de soberbia.*

3. Adjetivo que representa consideración hacia los demás:

   Misericordia → misericordioso → egoísta → *Ese profesor es muy misericordioso.*

1.18. **a.** *El hombre es un ser para la muerte* encierra una visión muy pesimista: lo que define al hombre, lo que constituye su esencia es que su destino final lo constituye la muerte. En cambio, *El hombre es un estar a la muerte* solo habla de esa fragilidad de la vida humana, siempre ante la presencia vecina de la muerte.

b. El análisis que hace J. Marías de {*es, está*} *muy guapa* es discutible y está viciado de un error comparativo. Si nos fijamos, compara *es muy guapa* (3.ª persona) con *estás muy guapa* (2.ª persona), enunciados heterogéneos. Naturalmente, es preferible que te digan que *estás muy guapa*, a que genéricamente se diga, aunque sea referido a ti, que *es muy guapa*.

Yendo ya al análisis concreto de *es muy guapa/está muy guapa.* Como decíamos en 1.6., es mejor que se le atribuya a alguien una cualidad positiva con *ser*, lo que implica una esencialidad y una inalterabilidad, que con *estar*. Aquí habría que discrepar de J. Marías; pero estas cuestiones son siempre complejas, con varias caras. Y cuando Marías defiende este análisis en lo que se fija es en la facilidad con que varían juicios y oposiciones acerca de las cualidades y defectos de las personas, por lo que *estás muy guapa* satisface por lo que de actualidad operativa, de realidad presente, no abstracta, no rutinaria, encierra. Por el contrario, *es muy guapa* o *eres muy guapa* puede producir la impresión de esas afirmaciones previsibles que han perdido ya eficacia y fuerza, y corren el riesgo de estar vacías.

Unidad 2: El teatro

Pretéritos de indicativo

2.1. **El presente de indicativo adquiere muchos sentidos de acuerdo con el contexto en que aparece. Como has visto en el Libro del alumno (pág. 29), en ocasiones puede ocupar el lugar de un pretérito. Sustituye, siempre que sea posible, los presentes "históricos" de este relato por el pretérito más adecuado:**

Fíjate en las cosas que me ocurren. Resulta que voy por la calle el otro día, es el miércoles quiero recordar, y veo a lo lejos una moto que viene a toda velocidad. De repente, le sale un coche por la izquierda, apenas le da tiempo a frenar, pero le derrapan las ruedas y el piloto se cae. ¿Sabes quién era? Amaya, mi antigua novia. Aunque no se hace nada, llamo al 112[1]...

2.2. **El ejercicio siguiente continúa con el presente de indicativo con valor de pasado. Lo que te pedimos es muy parecido a lo anterior, pero te exige agudizar más tu sentimiento del idioma. Esta es una carta al director publicada en un periódico madrileño:**

Barajas, cinco de la mañana. En una desierta Terminal 1, un puñado de personas espera, desde hace 4 horas, a unos viajeros muy especiales.

Estallan los aplausos. Una larga fila de caritas somnolientas avanza humilde, en silencio, lentamente. Así llegan un año más los más de ocho mil niños saharauis que vienen a España de vacaciones. Sus cuerpecitos, su ropa, muestran las huellas de la dura vida que sufren, desde que nacen, en sus campos de refugiados.

Están en pleno desierto, en un lugar incompatible con la vida, en el que solo sobreviven gracias a la ayuda exterior y en donde todas las noches sueñan con sus vacaciones en España.

Cuando este verano alguien vea a algunos de estos niños no puede quedar indiferente, piense en la durísima vida de sus terribles campos de refugiados, hable con ellos y vea la manera de ayudarlos, lo necesitan tanto.

Periódico *La Razón.*

Sustituye cuando sea posible todos los presentes de indicativo por un pretérito y reflexiona sobre las diferencias entre elegir una u otra forma.

2.3. **El presente con valor de pasado es frecuente con las expresiones adverbiales *casi* o *por poco*. Construye dos ejemplos para cada combinación. ¿Qué diferencias observas entre ambas expresiones?**

2.4. **Selecciona el mejor pretérito de indicativo para cada uno de estos enunciados. Como en varias ocasiones puede aparecer más de uno, deberás justificar la respuesta.**

1. ¿Cuántos has dicho que (ser) ....?
2. Me parece que todavía no (venir) ....
3. Ayer me (dar) .... la nota de gramática y hoy (conocer) .... la de conversación. Las dos (ser) .... buenas.
4. ¿Te (quedar) .... toda la noche por terminar el trabajo? (Tener) .... que organizarte mejor.

[1] Este es el teléfono en España para cualquier emergencia.

5. (Sentir) .... frío toda la noche porque (dormir) .... sin manta, pero es que ayer (hacer) .... mucho calor y (pensar) .... que no la (necesitar) ....
6. Con ese vestido que (llevar) .... a la boda (parecer) .... más joven.

2.5. La elección entre el imperfecto y el indefinido se complica en los frecuentes casos en que alternan los dos. Compara estos dos ejemplos y señala la diferencia entre uno y otro:

Salía, entraba, reía, lloraba, se levantaba, se sentaba.

Salió, entró, rió, lloró, se levantó, se sentó.

2.6. El imperfecto, como han sentido tantos artistas del idioma, presenta muchos valores. Analiza los siguientes ejemplos, teniendo en cuenta la ayuda de los marcadores en cursiva:

1. ¡*Cómo* iba a saberlo!
2. Hoy era un día tranquilo, esperaba la visita de ese profesor, tenía unas buenas perspectivas. *Pues bien, mira por donde,* me encuentro con esa carta...
3. ¿*Conque* Solari[2] era italiano?
4. *Entonces* yo buscaba la puerta de mi casa y no la encontraba.
5. *Yo que tú* arreglaba el cuarto antes de que llegue tu padre.
6. ¿Qué ha dicho mamá que se comía mañana?
7. Detenido un hombre por corromper a dos niñas de 13 y 14 años. *Según* las menores, Javier B. P. les daba drogas y las llevaba a ambientes de prostitutas y travestís (Periódico *El Mundo*).
8. ¡Eras tú! Creía que era mi padre.
9. Hace un mes se casaba con Margarita.
10. Miriam era muy bonita.

2.7. ¿Sabes cuál es el modo habitual de empezar una narración infantil? Elige el tiempo verbal correcto:

1. *{Había/Hubo} una vez.*
2. *{Érase/Fue} una vez.*

¿Y el de concluirla?

3. *Y colorín, colorado, este cuento se {ha acabado/acabó}.*
4. *{Han sido/Fueron} felices y {han comido/comieron} perdices.*

2.8. La afirmación de que el imperfecto no señala el final del proceso debe matizarse. ¿En cuál de los dos enunciados de algún modo el proceso termina?

A las ocho todavía Isabel iba de camino.

Mientras estuvo en aquel piso, Esther era quien todos los días bajaba la basura.

2.9. El grado de cortesía puede depender de la forma verbal escogida. En este rápido diálogo en un comercio, ¿qué tiempo verbal te parece más cortés en cada caso?, ¿por qué?

Dependiente: ¿Qué {desea/deseaba}?

Cliente: {Quiero/quería/querría} unos pantalones azules de vestir.

La situación cambia. Ahora, una chica quiere decirle a su compañera de piso que arregle su habitación, porque va a venir el casero. Como antes, señala la opción más cortés y por qué:

- Yo que tú arreglaba la habitación.
- Tienes que arreglar la habitación.
- ¡Arregla la habitación!
- Tenías que arreglar la habitación.

[2] Apellido de un ex jugador jugador del Real Madrid, nacido en Argentina.

2.10. **Los pretéritos indefinidos de indicativo son de las formas verbales que con más frecuencia presentan irregularidades. Esta es una razón para conocerlos bien, que se refuerza por el hecho de que el pretérito imperfecto de subjuntivo sigue su misma pauta al conjugarse. Sustituye los siguientes infinitivos por un indefinido:**

- Andar ....
- Decir ....
- Tener ....
- Hacer ....
- Poner ....
- Querer ....

Después, rellena los siguientes huecos con el pretérito indefinido o con el pretérito imperfecto de subjuntivo correspondientes al infinitivo señalado:

1. El entrenador le (decir) .... que (andar) .... más deprisa.
2. (Tener) .... una novia croata a quien (querer) .... mucho.
3. (Hacer) .... tal barbaridad que lo[3] (poner) .... en la calle.

2.11. **El condicional puede representar un suceso posterior a otro pasado, del que depende. Pero puede representar también contenidos pasados, presentes o futuros de carácter irreal. Con esta información analiza el significado del condicional en los siguientes ejemplos:**

1. Ahora mismo me iría a mi pueblo.
2. Estarían diez aquel día.
3. Me juró que no volvería a hacerlo.
4. ¿Me dejarías el móvil para hacer una llamadita?
5. Estaba seguro de que llegaría a tiempo.
6. Si viviera tu padre, estaría encantado de saberlo.

2.12. **Para precisar la información temporal, las formas verbales se combinan con distintos complementos de tiempo. Tal combinación tiene sus reglas, por lo que a menudo existen incompatibilidades. Elige en cada uno de estos ejemplos entre el indefinido y el imperfecto:**

1. Ayer (caminar) .... durante dos horas.
2. (Escribir) .... este poema en cinco minutos.
3. (Caminar) .... todos los días durante dos horas.
4. (Escribir) .... un poema diario para su novia.
5. (Dormir) .... todos los domingos hasta las dos de la tarde.
6. Todas las semanas (salir) .... por la noche.
7. El domingo pasado (dormir) .... hasta las dos de la tarde.
8. Los sábados (gustarle) .... salir al campo.
9. Juan (dormir) .... tres veces.

2.13. ***Todavía* (o su sinónimo, *aún*) y *ya*, con sus respectivas negaciones, son adverbios llamados de fase, porque sitúan el suceso o la situación en un determinado momento de su desarrollo. Como bien saben los estudiantes hablantes maternos de algunas lenguas, estos adverbios son causantes de numerosos problemas. Selecciónalos cubriendo los siguientes huecos:**

1. A: – ¡Ven!
   B: – .... voy.
2. Es una historia increíble. .... verás el final, es alucinante.
3. ¡........................ estás con esas! ¡Siempre acabas con lo mismo!

---

[3] Lo que debe conjugarse aquí es la frase hecha coloquial *Poner (de patitas) en la calle*, que significa "echar, expulsar, despedir".

4. ¡........................ estás con esas! ¿No sabes que estamos esperando?
5. .... no ha saltado Jaime, pero esperamos que lo haga pronto.
6. .... no vive aquí, se trasladó la semana pasada a Barcelona.

¿Por qué se dice *Todavía no es la hora* y por qué no **Ya no es la hora*? ¿Por qué, sin embargo, es gramatical *Ya no es hora*?

2.14. **No dejamos del todo a *ya*. La tarea ahora es precisar qué contestación indica una mayor prontitud en responder al requerimiento:**

Alberto: ¡Ven!
Oscar: {Luego, ahora, ya voy, ahora mismo}

2.15. ***Recientemente* y *últimamente* son dos adverbios bastante próximos significativamente, pero con diferentes posibilidades a la hora de combinarse con los tiempos verbales. Seguro que empiezas a tenerlas más claras conjugando los infinitivos de los siguientes ejemplos:**

1. Recientemente (estar) .... aquí.
2. Últimamente (ir) .... mucho a ese bar.
3. Recientemente (comprarse) .... un coche nuevo.
4. Últimamente (vérsele) .... en compañía de una compañera de clase.

2.16. **Hablar una lengua no supone casi nunca ir escogiendo palabra por palabra, sino que lo hacemos a menudo por bloques memorizados de palabras. Esto nos permite comunicarnos con fluidez. Teniendo en cuenta lo anterior, coloca el pretérito de indicativo adecuado en estos enunciados que comienzan con una fórmula habitual para evocar un suceso o situación pasados (recuerda que algunas aparecieron en el Libro del alumno, pág. 32):**

1. ¿Te acuerdas de aquel día en que (llover) .... tanto en Madrid que (desbordarse) .... el Manzanares? Las calles (estar) .... atascadas y los peatones no (poder) .... cruzar.
2. ¡Qué tiempos aquellos en que (poder andarse) .... por la calle sin miedo a ser asaltado!
3. Lo estoy viendo como si fuera ayer cuando (declararse) .... a Isabel. (Ser) .... un manojo de nervios y apenas (balbucear) .... unas palabras.
4. No se me va de la memoria la discusión de ayer. Nunca lo (ver) .... así, (parecer) .... otro.
5. Siempre recordaré aquellas vacaciones en que mi padre (llevarme) .... por primera vez a ver el mar.

2.17. **Si has realizado todos los ejercicios anteriores, seguro que no tienes mayor problema en narrar un sueño en el aparezcan indefinidos e imperfectos. Sé consciente de las razones para preferir uno u otro.**

2.18. **Lee este poema de Juan Ramón Jiménez. Para hacerlo bien asegúrate de conocer el significado de las palabras subrayadas:**

En la siesta de julio, <u>ascua</u> violenta y ciega
prendió el horno las ropas de la niña. La arena
quemaba cual con fiebre; dolían las <u>cigarras</u>;
el cielo era igual que de plata <u>calcinada</u>.
... Con la tarde, volvió (¡anda, potro!) la madre.
El pinar se reía. El cielo era de <u>esmalte</u>
violeta. La brisa renovaba la vida...
La niña, rosa y negra, moría en carne viva.
Todo le lastimaba. El roce de los <u>besos</u>,
el roce de los ojos, el aire alegre y bello:
-Mare, me jeché arena zobre la quemaúra.
Te yamé, te yamé dejde er camino... ¡Nunca
ejtubo ejto tan zolo! ¡Laj yama me comían,
mare, yo te yamaba, y tú nunca benía!

Por el camino (¡largo!) sobre el potrillo rojo,
murió la niña. Abiertos, espantados, sus ojos
eran como raíces secas de las estrellas.
La brisa jugueteaba, ensombrecida y fresca.

Corría el agua por el lado del camino.
Ondulaba la yerba. Trotaban los pollinos,
oyendo ya los gritos de los niños del pueblo...
Dios estaba bañándose en su azul de luceros.

Juan Ramón Jiménez: "La carbonerilla quemada".

a. **Habrás visto que en él se narra una historia muy triste. Resúmela. Una vez cumplida esta primera tarea, fíjate en el español que emplea la niña cuando le habla a su madre. No es el español estándar, sino el de una variedad dialectal del español de España. ¿Podrías determinar cuál es? Te ayudará conocer el lugar de origen del autor.**

b. **En el verso 5 aparece entre paréntesis un enunciado ("¡anda, potro!"), ¿sabes quién lo pronuncia?**

c. **Finalmente, para terminar el ejercicio, ¿qué tiempos verbales predominan en el poema? Seguro que te has dado cuenta de que son dos muy estudiados en esta unidad, explica en qué momentos aparece uno y en qué momentos se da el otro.**

Claves

Unidad 2: El teatro

2.1. Procedemos a la sustitución de los presentes por pretéritos cuando sea posible:

Fíjate en las cosas que me **han ocurrido**. Resulta que **iba** por la calle el otro día, **era** el miércoles quiero recordar, y **vi** a lo lejos una moto que **venía** a toda velocidad. De repente, le **salió** un coche por la izquierda, apenas le **dio** tiempo a frenar, pero le **derraparon** las ruedas y el piloto se **cayó**. ¿Sabes quién era? Amaya, mi antigua novia. Aunque no se **había hecho** nada, **llamé** al 112...

En efecto, algunos presentes de indicativo se han mantenido. *Resulta que* es un medio muy utilizado para iniciar un relato o introducir su fase más importante, está inmovilizado en esta forma para cumplir tal función, no puede alterarse. *¿Sabes quién era?* es una pregunta que se dirige en el momento de la conversación y, por tanto, el presente está empleado con normalidad. Seguro que has reparado en el imperfecto *era* con que concluye la interrogación y que está en el texto original. No aparece presente, porque la pregunta es sobre una situación del pasado y esta es tarea del imperfecto.

Para terminar, dos comentarios sobre la necesidad de diferenciar entre la posibilidad de sustituir una forma por otra y que tal cambio no conlleve cambio de significado. Las dos observaciones van en esta segunda dirección.

La sustitución en el primer enunciado de "que me ocurren" por "que me han ocurrido" es posible, pero no hay equivalencia. "Las cosas que me ocurren" tiene un sentido de suceso habitual que encierra múltiples repeticiones iniciadas en el pasado y que prosiguen sin mención de su final. En cambio, "que me han ocurrido" solo indica un suceso del pasado ya concluido. Dada esta discrepancia, técnicamente de aspecto verbal, hemos tenido dudas acerca de proceder a la sustitución o no.

En el último enunciado, que se ha dejado incompleto, también es posible la sustitución, pero también supone diferencias. El presente ("Aunque no se hace nada, llamo al 112...") comunica al interlocutor que la narración continúa, ya que el presente –volvemos a una cuestión que tiene que ver con el aspecto verbal– no menciona el final; sin embargo, el indefinido ("Aunque no se hizo nada, llamé al 112") podría ser un buen final para la narración, porque en su significación está la mención de algo acabado.

2.2. Volvemos a reemplazar en primer lugar los presentes históricos por pretéritos:

Barajas, cinco de la mañana. En una desierta Terminal 1, un puñado de personas **esperaba**, desde **hacía** 4 horas, a unos viajeros muy especiales.

Estallaron los aplausos. Una larga fila de caritas somnolientas **avanzaba** humilde, en silencio, lentamente. Así **han llegado** un año más los más de ocho mil niños saharauis que vienen a España de vacaciones. Sus cuerpecitos, su ropa, **mostraban** las huellas de la dura vida que **han sufrido**, desde que han nacido, en sus campos de refugiados.

Han estado en pleno desierto, en un lugar incompatible con la vida, en el que solo **han sobrevivido** gracias a la ayuda exterior y en donde todas las noches **han soñado** con sus vacaciones en España.

Cuando este verano alguien vea a algunos de estos niños no puede quedar indiferente, piense en la durísima vida de sus terribles campos de refugiados, hable con ellos y vea la manera de ayudarlos, lo necesitan tanto.

El presente, lógicamente, da más actualidad a la narración. A veces, la sustitución ha supuesto más consecuencias de esta leve variación que, tradicionalmente, se conocía como estilística. Es lo que decíamos en la clave anterior con motivo de la falta de equivalencia. Esto sucede en el segundo párrafo, el presente comunica que se trata de una serie de sucesos y situaciones habituales. Al pasar a pretérito perfecto, tal información se pierde y aparecen unos sucesos y situaciones pasadas.

2.3. Entre las dos formas adverbiales de cantidad, existen interesantes puntos en común, pero también diferencias.

- *Casi: Casi lo consigo, Casi llego a tiempo:* indica que le ha faltado muy poco para alcanzar la meta mencionada.
- La sintaxis y la semántica (su significación) de *por poco* es compleja. En ocasiones, es sinónimo de casi, aunque sea menos habitual que este: *Por poco lo consigo, Por poco llego a tiempo.* En oraciones negativas *(Por poco no lo consigo, Por poco no llego a tiempo), por poco* ya no transmite un intento fallido, sino un logro conseguido con dificultad. Ahora el sinónimo es *apenas*. Cuando se coloca detrás del verbo, *por poco* mantiene esta equivalencia sin la necesidad de la negación *(Lo conseguí por poco* → 'por poco no lo consigo'). Si te fijas, le sucede al revés que a *nada* o a *nadie*: estos delante del verbo no requieren negación *(Nadie habló, Nada ha hecho),* pero cuando se posponen, sí *(No habló nadie, No ha hecho nada).*

2.4. No es fácil determinar en todos los casos cuál es el mejor pretérito, por lo que en algún caso habrá que esforzarse en la explicación:

1. ¿Cuántos has dicho que **eran**? Podría haber aparecido el indefinido (*¿Cuántos has dicho que fueron?*). La elección del imperfecto se justifica porque nos ha interesado indicar la mayor distancia del hablante con respecto a la información acerca de la que pregunta.
2. Me parece que todavía no **ha venido**. Sería posible asimismo *Me parece que todavía no vino*. Se trata de un suceso que no se ha producido en un pasado próximo (lo que favorece el pretérito perfecto), pero que espera que acabe produciéndose. De esta última información el responsable es el adverbio de fase *todavía*. De él y de *ya* se ocupa el ejercicio 2.13.
3. Ayer me **dieron** la nota de gramática y hoy **he conocido** la de conversación. Las dos **han sido** buenas.
4. ¿Te **quedaste** toda la noche por terminar el trabajo? **Has tenido** que organizarte mejor. Podría haberse dado en el segundo caso *tenías*, si se hubiera querido una mayor cortesía.
5. **He sentido** frío toda la noche porque **he dormido** sin manta, pero es que ayer **hizo** mucho calor y **pensé** que no la **necesitaba**.
6. Con ese vestido que **llevaste** a la boda **parecías** más joven.

2.5. Los sucesos o situaciones en imperfecto pueden ser simultáneos (es posible que coexistan en un mismo momento) o, al menos, pueden reordenarse de otro modo, ya que, frente al indefinido, el imperfecto no supone que tales sucesos o situaciones sean sucesivos. Esto es, que cada uno de estos haya de terminar para permitir que se dé el que lo sigue. Un efecto de estas diferencias es que con el imperfecto se detiene el relato; mientras que con el indefinido se transmite una impresión de movimiento agitado.

2.6. Vamos a examinar la siguiente relación de imperfectos. Gracias a ella confirmaremos que el imperfecto no se limita a representar sucesos pasados que han de entenderse en relación con otro y en los que no se menciona su final. El imperfecto es una herramienta muy útil para rebajar el grado de certeza de un suceso o situación. Por ejemplo, porque se trata de un sueño, porque era una creencia que se ha demostrado falsa, porque la fuente de información no es segura...

1. *¡Cómo* iba a saberlo! Con la ayuda de la entonación, de *cómo* y de la perífrasis de la que forma parte, el imperfecto aparece en un uso replicativo, en el que se rechaza una acusación que acaba de formularse. Esto es posible porque el pretérito imperfecto sirve para llevar a la esfera de los no hechos, en este caso, de lo falso, aquello que hace un momento se había representado como cierto (A: *–Tienes que saberlo.*/B: *–¡Cómo iba a saberlo!).*
2. Hoy era un día tranquilo, esperaba la visita de ese profesor, tenía unas buenas perspectivas. *Pues bien, mira por donde,* me encuentro con esa carta... La serie de imperfectos representan una situación cuyo signo positivo cambia bruscamente por el hecho en presente. *Pues bien, mira por donde* son dos marcadores que sirven para transmitir la brusquedad del cambio entre lo que ya pertenece al pasado psicológico (aunque fuera real, ya no es operativo) y lo que es el doloroso presente.
3. *¿Conque* Solari era italiano? Estamos ante otra réplica, en la que se rechaza una afirmación errónea del interlocutor (A: *–Solari es italiano.* B: *–¿Conque Solari era italiano?* → 'Solari no es italiano'). Para este acto de rechazo *conque* es muy útil.
4. *Entonces* yo buscaba la puerta de mi casa y no la encontraba. Confiamos que no se haya necesitado demasiada imaginación para pensar que estamos ante el relato de un sueño, por tanto, de informaciones cuya realidad es limitada.

5. *Yo que tú* arreglaba el cuarto antes de que llegue tu padre. Estamos ante una orden o, si queremos, ante un consejo encubierto *(Arregla tu cuarto),* que se suaviza mucho al adquirir la forma de algo que uno mismo haría si estuviera en el lugar del interlocutor. El imperfecto manifiesta que el que ha de realizar la acción no es el hablante (él no es quien debe arreglar el cuarto) sino el destinatario de la orden-consejo.
6. ¿Qué ha dicho mamá que se comía mañana? Es interesante este ejemplo en el que se manifiesta cómo el imperfecto no solo expresa pasados, aquí se trata de un futuro. Se ha utilizado el imperfecto porque se trata de una información en la que no confía mucho el hablante, pues procede de las palabras de otra persona. También puede ser que haya olvidado lo que se dijo que se iba a comer. En cualquier caso, el imperfecto no representa un hecho cierto y fiable desde la perspectiva del que habla.
7. Detenido un hombre por corromper a dos niñas de 13 y 14 años. *Según* las menores, Javier B.P. les daba drogas y las llevaba a ambientes de prostitutas y travestís. El titular periodístico podía haber utilizado un indefinido en lugar del imperfecto *(Javier B.P. les dio drogas y las llevó a ambientes de prostitutas y travestís).* La clave de que se haya elegido este nos la da *según,* que frente a *como* introduce informaciones ajenas en las que no se confía del todo, por lo que el hablante no las hace suyas. Así pues, el periodista ha optado por el imperfecto para indicar que él no asegura que la información sea cierta y así ponerse a salvo de posibles problemas legales.
8. ¡Eras tú! Creía que era mi padre. El imperfecto transmite el carácter erróneo de una creencia.
9. Hace un mes se casaba con Margarita. En imperfecto la información de la boda con Margarita porque el hablante no confía mucho que vaya a producirse, aunque alguien lo haya anunciado.
10. Miriam era muy bonita. Este último ejemplo sirve para observar el carácter relativo del imperfecto, necesita un acontecimiento que le sirva de referencia, sin él la información se siente incompleta. Miriam era muy bonita en un momento pasado concreto. Por ejemplo, *Miriam era muy bonita en aquel entonces.*

2.7. Las narraciones infantiles empiezan con *Había una vez* o *Érase una vez.* El imperfecto sirve para abrir un mundo imaginado, irreal, donde va a desarrollarse esta historia.

En la conclusión hay mayor libertad. Puede elegirse: *Y colorín, colorado, este cuento se ha acabado* o *Fueron felices y comieron perdices.* En ella, frente a lo que ocurre con el comienzo, se recurre a dos pretéritos (perfecto o indefinido) que suponen el proceso completado, lo que es muy lógico. En la primera fórmula de conclusión se alude al final de la acción de relatar, cuyos efectos positivos se piensa que permanecen, de ahí el pretérito perfecto. En la segunda, el final es de la historia en sí, terminada a todos los efectos, causa de la presencia del indefinido.

2.8. Evidentemente, *A las ocho todavía Isabel iba de camino* no indica que Isabel ya haya llegado y puede seguir de camino. En cambio, en *Mientras estuvo en aquel piso, Esther era quien todos los días bajaba la basura* sabemos que quizá Esther ya ha dejado de bajar la basura, pues ya no está en aquel piso (es lo que expresa el indefinido *estuvo*). Los imperfectos transmiten la habitualidad del hecho de bajar la basura, que desde luego cada vez que se realiza se completa, aunque cada día haya que repetir el proceso. Todos lo sabemos por experiencia.

2.9. Efectivamente, la forma verbal elegida influye en el grado de cortesía del mensaje. Cuando no existe familiaridad con el interlocutor (es un desconocido, posee un estatus superior), es importante guardar la distancia. Si no lo hacemos, corremos el riesgo de que *se nos ponga en nuestro sitio.* Cuanto más alejamiento del presente entrañe un tiempo verbal, más cortés resultará. Piensa que, además, ese mayor alejamiento convierte en más indirecto el acto que estamos realizando, lo que al tratarse de peticiones, preguntas... es un modo eficaz de suavizar una acción siempre comprometida.

Con estas pautas, parece clara la respuesta con la que nos quedamos:

Dependiente: ¿Qué **deseaba**?

Cliente: Quería/querría unos pantalones azules de vestir.

El condicional, por su mayor alejamiento del presente, es el más cortés.

En el segundo caso, la respuesta tampoco ofrece dudas. Fíjate en lo elegante de la segunda opción, de la que ya se habló en 2.6.

Tenías que arreglar la habitación.

Yo que tú **arreglaba** la habitación.

2.10. Ponemos en primer lugar los indefinidos, escogidos a propósito porque sirven de modelo a otros indefinidos irregulares:

Andar → anduve; Hacer → hice; Decir → dije; Poner → puse; Tener → tuve; Querer → quise.

1. El entrenador le **dijo** que **anduviera** más deprisa (aparece el subjuntivo en la subordinada, porque *decir* posee aquí el sentido de 'ordenar' no el de 'comunicar', que sí se construye con indicativo).
2. **Tuve** una novia croata a quien **quise** mucho.
3. **Hizo** tal barbaridad que lo **pusieron** en la calle.

2.11. Analizamos los condicionales propuestos:

1. Ahora mismo me iría a mi pueblo. Representa un suceso futuro, cuya realización es claramente imposible.
2. Estarían diez aquel día. Afirmación imprecisa sobre una situación pasada.
3. Me juró que no volvería a hacerlo. Este es un ejemplo del condicional que podríamos llamar temporal (frente a los otros de carácter modal). Representa un suceso posterior a la acción principal, inscrita en el pasado. Como las afirmaciones sobre el pasado siempre son algo inseguras, comprendemos los puntos en común entre los valores temporales y modales del condicional.
4. ¿Me dejarías el móvil para hacer una llamadita? Cronológicamente, el condicional es un presente. Aparece por la condición cortés de la petición (mira las claves del ejercicio 2.9.).
5. Estaba seguro de que llegaría a tiempo. No sabe si llegó o no, lo que sí es claro es que el condicional representa un suceso futuro respecto al predicado principal *(estaba seguro)*.
6. Si viviera tu padre, estaría encantado de saberlo. Informaciones evidentemente inseguras, en la órbita de lo imposible. De ahí, la presencia del condicional.

2.12. Para realizar bien el ejercicio, habrás debido recordar que el indefinido supone el hecho completado; mientras que el imperfecto, no. Por eso, uno y otro solo serán compatibles, respectivamente, con complementos circunstanciales que signifiquen el final o no del acontecimiento representado:

1. Ayer **caminamos** durante dos horas.
2. **Escribí** este poema en cinco minutos.
3. **Caminaba** todos los días durante dos horas.
4. **Escribía** un poema diario para su novia.
5. **Dormía** todos los domingos hasta las dos de la tarde.
6. Todas las semanas **salíamos** por la noche.
7. El domingo pasado **dormí** hasta las dos de la tarde.
8. Los sábados **le gustaba** salir al campo.
9. Juan **durmió** tres veces.

2.13. *Todavía* (o *aún*) localiza un evento en una fase media, esperándose una etapa última. *Ya* lo sitúa en la fase de su finalización. De acuerdo con ello, cubrimos los huecos propuestos:

1. A: –¡Ven! B: –**Ya** voy. *Ya* se justifica porque comunica el fin de una actividad anterior (la que ha propiciado la llamada).
2. Es una historia increíble. **Ya** verás el final, es alucinante. El sintagma nominal *el final* es fundamental para la presencia de *ya,* adverbio asociado a la fase última de un proceso.
3. ¡**Ya** estás con esas! ¡Siempre acabas con lo mismo! Para entender el ejemplo, debes tener en cuenta que *ya estás con esas* es una frase hecha que expresa el disgusto ante una conducta habitual y en la que, como suele ocurrir en estos casos, *esas* no tiene una referencia concreta. No es fácil la explicación de *ya* en estos casos, pero sin duda indica unos movimientos que han acabado en ese comportamiento objeto de reprobación.
4. ¡**Todavía** estás con esas! ¿No sabes que estamos esperando? *Todavía* se explica porque se trata de un comportamiento del que se espera una modificación final.
5. **Todavía** no ha saltado Jaime, pero esperamos que lo haga pronto. Esa esperanza de que acabe haciéndolo es la razón de la presencia de *todavía,* que localiza el acontecimiento en un momento anterior al final.
6. **Ya** no vive aquí, se trasladó la semana pasada a Barcelona. La continuación deja claro que se trata de un suceso finalizado, por lo que está autorizada la presencia de *ya.*

Todavía no es la hora se dice porque el proceso no se ha cerrado, se espera un final en que *ya sea la hora.* Esta es la razón por la que no es posible * *Ya no es la hora. Ya no es hora* es, en cambio, válido, porque comunica que el plazo para realizar una cosa ha terminado y no es posible, entonces, alteración alguna.

2.14. Las formas adverbiales usadas para indicar que se cumple de modo inmediato una orden tienden a perder fuerza y a dejar de comunicar la inmediatez en grado máximo que en un principio expresaban. Para algunos, es un síntoma de la tradicional impuntualidad española; para otros, un reflejo de su impaciencia, lo que lleva siempre a sustituir una expresión por otra más exagerada, dado su rápido desgaste. Si lo piensas un poco, no son opiniones contradictorias sino complementarias. Respondemos ya a la cuestión, teniendo en cuenta que siempre es más cortés la respuesta que promete la mayor rapidez:

- Luego. Es la respuesta que transmite una menor prisa por atender el mandato. *Luego,* en el español medieval y clásico, indicaba gran rapidez, lo que demuestra, como acabamos de señalar, la tendencia de las expresiones que comunican respuesta urgente a perder fuerza y la nota de inmediatez. Santa Teresa escribía: "Véante mis ojos, dulce Jesús bueno;/ véante mis ojos, muérame yo *luego*". El final quería decir "muérame yo ahora mismo". En estos tiempos se entendería "muérame yo dentro de un espacio relativo de tiempo".

- Ahora. Transmite una idea de mayor rapidez en la respuesta, pero tampoco indica que esta vaya a ser inmediata. Por eso, puede molestar al interlocutor.
- Ya voy. Representa un grado mayor de inmediatez, que no es total. Alterna con *ya*.
- Ahora mismo. Esta es la contestación que promete la mayor rapidez y, por tanto, la más cortés. Fíjate que es una fórmula enfática formada a partir de *ahora*. En el español hablado ya no se percibe como tal y se toma como una contestación normal. Puede alternar con *ya mismo*.

Para completar la clave, conviene saber que cuando el que solicita que se le atienda en el acto, o no confía mucho en su interlocutor, puede reforzar con:

¡Ven, pero ya! Es una construcción coloquial, poco o nada cortés.

2.15. También *recientemente* y *últimamente* son, en efecto, dos adverbios bastante próximos, pero, sin embargo, con alguna importante diferencia que determina sus compatibilidades e incompatibilidades a la hora de combinarse con los tiempos verbales. *Recientemente* exige eventos ya concluidos; mientras que *últimamente* se combina más bien con acontecimientos que se repiten o prolongan. Seguro que sabiendo esto entenderemos muy bien las soluciones que damos respecto a las combinaciones con ambos adverbios:

1. Recientemente {**estuvo/ ha estado**} aquí.
2. Últimamente {**va/ iba**} mucho a ese bar.
3. Recientemente **se ha comprado** un coche nuevo.
4. Últimamente se le {**ha visto/veía**} en compañía de una compañera de clase.

2.16. El común denominador de todas las fórmulas es permitir al hablante recordar unos acontecimientos pasados y, por tanto, hablar de ellos. Como habrás observado, a veces esto se hace de manera algo indirecta. Estas son las respuestas que aconsejamos:

1. ¿Te acuerdas de aquel día en que **llovió** tanto en Madrid que se **desbordó** el Manzanares? Las calles **estaban** atascadas y los peatones no **podían** cruzar. Gracias a la presencia de *aquel* sabemos que se trata de un suceso pasado y concluido, que está recordándose (observa el significado de la fórmula). Los imperfectos de la segunda oración se explican porque representan el segundo plano, el escenario descrito en el que ha ocurrido el suceso objeto del recuerdo.
2. ¡Qué tiempos aquellos en que **podía andarse** por la calle sin miedo a ser asaltado! El imperfecto de la perífrasis se entiende porque está narrándose un evento habitual, sin mención de su final, aunque sea del pasado.
3. Lo estoy viendo como si fuera ayer cuando **se declaró** a Isabel. **Era** un manojo de nervios y apenas **balbuceaba** unas palabras. Como en el primer ejemplo, el indefinido para el suceso principal.
4. No se me va de la memoria la discusión de ayer. Nunca lo **vi** así, **parecía** otro. Un suceso pasado y concluido en indefinido *(vi)*; y una situación que sirve para caracterizar en imperfecto *(parecía)*.
5. Siempre recordaré aquellas vacaciones en que mi padre me **llevó** por primera vez a ver el mar. Uso muy claro del indefinido para un suceso pasado y concluido.

2.17. La contestación es, como comprenderás, libre. Por echarte una mano, te ofrecemos una pequeña muestra:

¡Qué sueño más raro he tenido! Me encontraba en una habitación que se parecía vagamente a la mía, pero que a la vez me resultaba extraña. Al poco tiempo, me vi perdido y no sabía adónde ir. Fue algo angustioso, menos mal que duró poco.

El pretérito perfecto del primer enunciado, una construcción ideada para despertar el interés del interlocutor, se justifica porque el sueño como suceso pasado todavía está en la esfera de lo presente. Los imperfectos del inicio del sueño crean ese escenario irreal (comunican claramente que no están narrándose hechos reales), en el que el oyente ha de ser espectador. El indefinido aparece en el momento clave, tras el cambio en el relato que produce *al poco tiempo*. Los dos indefinidos del final representan que el mal momento ya ha pasado (en su sentido completo), lo que es algo contradictorio con el tiempo verbal con el que comenzó la narración. No sorprenden estas contradicciones, moneda corriente en nuestros mensajes, y es que la lengua es muy sensible a la siempre inestable e irregular mente humana.

2.18. Definiremos primero las palabras subrayadas:

- Ascua: 'Cualquier pedazo incandescente que salta de una lumbre'.
- Cigarra: 'Insecto que produce un sonido muy característico dentro del verano de la España seca, y que suele darse mucho en las orillas de caminos y carreteras'.
- Calcinada: 'Sometida a un calor extremo, semejante al del proceso químico de la calcinación'.
- Esmalte: 'Un determinado barniz que impermeabiliza y cubre un objeto'. Así se ve en el poema.
- Besos: Se ha subrayado, porque puede tener el sentido arcaico de 'labios'.
- Ondular(se): 'Por efecto de la brisa, acción por la que, en este caso, la hierba adopta la forma de una línea ondulada'.

- Trotar: 'Manera de andar propia de las caballerías que, desde el punto de la rapidez, se sitúa entre el andar y el correr'.
- Pollino: 'Burro joven'.

a. Conocidos los sentidos de las palabras, podemos resumir la historia, seguramente real y que sin duda llamó la atención del poeta, persona siempre muy sensible al sufrimiento infantil. Se trata de un accidente laboral que padece una pobre niña. Esta, atendiendo una explotación familiar de fabricación de carbón vegetal, ve cómo su ropa y cuerpo se queman al saltarle una chispa. Estaba sola y la madre únicamente puede asistir, cuando al fin regresa, a la muerte agónica de la niña.

Juan Ramón Jiménez era andaluz, de Moguer (Huelva). Y, en un rasgo de realismo, hace hablar en la variedad de esta región española a la niña (de modo semejante a cómo también lo hace en alguna otra ocasión, por ejemplo, en el famoso *Platero y yo*). La niña habla, pues, en andaluz (un andaluz vulgar), denominación poco precisa, pues no existe como realidad unitaria (numerosos expertos prefieren hablar de hablas andaluzas) y, además, ninguno de sus caracteres es solo suyo. Entre los rasgos más significativos andaluces que se dan en el habla de la carbonerilla, encontramos:

- Aspiración inicial de alguna palabra *(jeché),* que en el español estándar empieza por *h-* (aquí no se da el caso, pero sí una asociación).
- Aspiración o pérdida de *-s* final de sílaba *(dejde, ejtubo, ejto)* o de *-s* final de palabra *(laj yama, benía).*
- Pérdida de la *-d-* intervocálica *(quemaúra).*
- Confusión de *-l/-r* final de sílaba y vocal *(er).*
- *Yeísmo* (pronunciación de /ll/ como /y/) *(yamé)* y ceceo (pronunciación de /s/ y /z/ como una especie de /z/) (zolo).

b. "¡Anda, potro!" Lo dice la madre. El poeta se traslada en su relato al plano y escenario de la madre, quien en ese instante (su presente) desconoce la tragedia que se ha producido y va a ver.

c. Todo el poema es un juego de indefinidos e imperfectos. Conforme a su significación, los indefinidos se reservan para los momentos más importantes del relato, al mismo tiempo que lo aceleran. Los imperfectos se destinan para la descripción, para los segundos planos, para los momentos en que al autor le interesa que el lector se detenga, contemple lo que está sucediendo.

Unidad 3: La felicidad

Oraciones subordinadas sustantivas, subjuntivo e indicativo

3.1. ¿Qué escribirías en los siguientes ejemplos, subjuntivo o indicativo? Debes conjugar el infinitivo.

1. Lo bueno es que (tener) .... tú salud.
2. Lo adecuado es que Juan (pedir) .... perdón a Esther.
3. Lo mejor (ser) .... que (irte) .... de vacaciones en septiembre.
4. Lo triste es que ya no (haber) .... tiempo.

¿Y en esta otra tanda?

5. La preocupación de que (ser) .... muchos no le deja tranquilo.
6. El objetivo de que (estudiar) .... una carrera siempre lo han tenido sus padres.
7. La razón de que (estar) .... a menudo de malhumor se encuentra en su propia vida.
8. La posibilidad de que (vernos) .... esta semana es remota.
9. El hecho de que (encontrarla) .... fue una casualidad.

3.2. Ahora te proponemos dos cuestiones que tienen que ver con el modo subjuntivo.

a. ¿Qué diferencias observas entre estas dos parejas de enunciados?

Fueras donde fueras, no escaparías de la justicia.
Vayas donde vayas, no escaparás de la justicia.

Ojalá llegue a la hora.
Ojalá llegara a la hora.

b. ¿Puedes explicar el distinto comportamiento del verbo *saber* en contacto con la negación?

No sabía que llevasen un mes juntos.
¿No sabías que llevan un mes juntos?
Sé que no viene.

3.3. Una clase de verbos la forman los verbos de influencia, llamados así porque representan una intención de influir en la conducta de alguien para que actúe de una determinada forma: *Le obligó a que lo hiciera de nuevo*. Puesto que su oración subordinada no indica un hecho, sino la intención de que algo ocurra, esta va en subjuntivo. La tarea es ahora que busques ocho verbos de influencia y escribas con cada uno un ejemplo. Así comprobarás mejor que, efectivamente, esta clase verbal rige subjuntivo.

3.4. Seguimos con los verbos de influencia. Estos excluyen el indicativo en la subordinada, pero no el infinitivo. Por seguir con el ejemplo anterior, *Le obligó a que lo hiciera de nuevo/Le obligó a hacerlo de nuevo,* el ejercicio que te proponemos es que cambies de subjuntivo a infinitivo tus mismos ejemplos de 3.3. Seguro que verás que esto no siempre es posible y que, cuando lo es, hay que realizar algunos ajustes.

3.5. El modo imperativo presenta numerosas restricciones, a menudo, a causa de las normas que rigen la actividad comunicativa, entre la que ocupa un papel decisivo la cortesía. Sin embargo, otras veces la restricción se encuentra en la gramática: el imperativo solo es posible en oraciones independientes, afirmativas y con las segundas personas gramaticales. En los demás casos, el imperativo se sustituye por el subjuntivo (lo más frecuente), el indicativo o el infinitivo. Sustituye el imperativo de estos ejemplos, de acuerdo con el siguiente modelo:

Ven → Venga ud. → No vengas. → Que vengas. → Tienes que venir. → ¡Tú vienes! → ¡A venir(se)!

Sal → ....

Ve (de *ver*) → ....

Calla → ....

Entra → ....

Ríe → ....

3.6. **Concluye estas construcciones seleccionando el modo adecuado.**

1. Es cierto que ....
2. Es preferible que ....
3. Es increíble que..
4. Es verdad que ....
5. Es necesario que ....
6. Es problemático que ....
7. Es un disparate que...
8. Es evidente que ....
9. Es imposible que ....

3.7. **Siempre se ha destacado la relación entre el subjuntivo y la negación. Obsérvala rellenando adecuadamente el hueco que aparece en el enunciado negativo correspondiente al afirmativo que aparece en primer lugar:**

1. Yo creo que vendrá.
   No creo que ....
2. He visto que necesita ayuda.
   No he visto que .... ayuda.
3. Imagino que vendrá más tarde.
   Nunca imaginé que .... más tarde.
4. Comprendo que los errores son causados por ese motivo.
   No comprendo que los errores .... por ese motivo.
5. Observo que faltan tres.
   No observo que .... tres.

3.8. **A veces, al hablar recogemos puntos de vista y voces ajenos, no los nuestros. El subjuntivo es un medio para transmitir esta importante información ('Esta afirmación, la idea que encierra, no ha partido de mí', lo que supone una manera de distanciarse sobre su grado de verdad y de lo que implica). Fíjate en estos dos ejemplos:**

- *He terminado el trabajo* (lo afirmo yo, de lo que se derivan unas determinadas consecuencias → podemos salir esta noche).
- *Que haya terminado el trabajo* (lo ha dicho otro, puedo aceptar que así haya ocurrido, pero no lo que el otro quería implicar → no hay motivo para salir esta noche).

Si has entendido bien la explicación, intenta ahora tú completar estos ejemplos (en los huecos deberá aparecer el subjuntivo), en los que se anule la implicación que comunica el indicativo. El tercero de los enunciados es una oración concesiva, que se ha puesto para facilitar tu tarea:

1. Estás enfermo, quédate en casa.
   Que .... enfermo no es razón para que te .... en casa.
   Aunque .... enfermo, no tienes por qué quedarte en casa.

2. Llegó a tiempo, pudo entregar el documento en el plazo.
   Que .... a tiempo no asegura que .... el documento.
   Por más que .... a tiempo, no pudo entregar el documento.

3. Te ayuda todos los días, es un amigo de verdad.
   Que te .... todos los días, no quiere decir que sea un amigo de verdad.
   Aunque te .... todos los días, no es un amigo de verdad.

3.9. **¿Por qué no puede usarse el subjuntivo en los enunciados marcados con el asterisco? ¿Qué dirías en su lugar?**

1. *Quiero que venga (yo).
   Quiere que venga (yo).
2. *Lamento que llegue (yo) tan tarde.
   Lamento que llegues tan tarde.
3. *Te gusta que salgas de vacaciones.
   Te gusta que sus padres salgan de vacaciones.

3.10. **El subjuntivo casi siempre aparece como el verbo de una subordinada. Sin embargo, a veces puede aparecer relativamente independiente seleccionado por un adverbio o un conector. Conjuga los siguientes verbos en subjuntivo en estos ejemplos donde no aparece un verbo principal:**

1. Ojalá (venir) .... pronto.
2. Quizá (estar) .... ya bien.
3. (Ser) .... lo que Dios (querer) ....
4. Que (aprovechar) ....
5. ¡(Vivir) .... España!

Los tres últimos son frases hechas, ¿sabes lo que comunican y en qué situaciones se emplean?

3.11. **En español, frente a lo que ocurre en inglés, es difícil eliminar la conjunción *que* cuando es requerida por el verbo principal. Observa los siguientes ejemplos; en todos, menos dos, se halla omitida la conjunción. Lo que has de hacer es intentar encontrar alguna pauta para esta eliminación.**

- *Les ordenó saliesen con las manos en alto.
- Les ordenó salir con las manos en alto.
- Espera aprueben todos.
- *Esperan los estudiantes aprueben todos.
- Temo vaya a venir mañana.

3.12. **Conjuga en indicativo o subjuntivo los infinitivos siguientes de acuerdo con el sentido con que debe tomarse el verbo principal (mira el Libro del alumno, pág. 55):**

1. Siento ('lamentar') que (sufrir) .... una caída.
2. Dice ('anunciar') que se (ir) .... el martes.
3. Veo ('parecer') bien que (casarse) .... Ricardo y Eloísa.
4. Me temo ('sospecho') que no lo (ver) .... más.
5. Sintió ('intuir', 'presentir') que lo (ir a despedir) ....
6. Dijo ('ordenar') a los niños que (recoger) .... los juguetes.

3.13. **De acuerdo con las correspondencias entre los tiempos de indicativo y subjuntivo establecidas en el Libro del alumno (pág. 47), sitúa temporalmente (pasado, presente o futuro) lo representado por la subordinada de subjuntivo:**

1. Después de que lo hayas visto, hablas.
2. Sentiría que se fuera sin verte.

3. Me gusta que estés con nosotros.
4. Me dijo que aparcara el coche delante de la puerta a las doce.
5. Quizá tenga un niño.
6. Si lo hubiera hecho, otro gallo le cantara.
7. Ojalá llegara a tiempo.
8. Negó que ella tuviera los apuntes de Isabel.

3.14. **Los prefijos y sufijos greco-latinos son muy empleados en la formación de palabras cultas y técnicas (ver Libro del alumno, pág. 44-45). Define las siguientes palabras basándote en estos componentes empleados en su formación:**

1. Monomanía ....
2. Anfiteatro ....
3. Herbívoro ....
4. Parricidio ....
5. Voraz ....
6. Homogeneidad ....
7. Monótono ....
8. Omnívoro ....
9. Homónimo ....
10. Anfibio ....

3.15. **Sigamos con el mundo clásico; averigua el significado de las siguientes locuciones latinas, algunas frecuentes en la lengua coloquial:**

1. *Magister dixit* ....
2. *In illo tempore* ....
3. *Ipso facto* ....
4. *In dubio pro reo* ....
5. *Ad hominem* ....
6. *Ad libitum* ....
7. *Ad litteram* ....
8. *Post scriptum* ....

3.16. **La presencia del subjuntivo o el indicativo puede alterar importantemente la naturaleza de un conector. Con este dato, analiza cada conector señalando si es causal, final, condicional, consecutivo:**

1. *Como* no estabas, se marchó.
2. *Como* no estés a tiempo, se marchará.
3. Ven, *que* te vea.
4. Vete, *que* nunca te encuentro cuando te necesito.
5. Ayudó *de tal manera que* terminó agotado.
6. Ayudó *de tal manera que* nadie se acordara de lo ocurrido.

3.17. **Lee el siguiente fragmento de una famosa novela cubana. En ella se cuenta la preocupación de una mujer ante la enfermedad de un niño pequeño cuyo cuerpo ha aparecido cubierto de ronchas.**

Baldovina se desesperaba, desgreñada, parecía una azafata que con un garzón en las manos iba retrocediendo cumpliendo las órdenes de sus señores en huida. Necesitaba ya que la socorrieran, pues cada vez que retiraba el mosquitero, veía el cuerpo que se extendía y le daba más relieve a sus ronchas; aterrorizada, para cumplimentar el afán que ya tenía de huir, fingió que buscaba a la otra pareja de criados. El ordenanza y Trini recibieron su llegada con sorpresa alegre. Con los ojos abiertos a toda creencia, hablaba sin encontrar las palabras del remedio que necesitaba la criatura abandonada. Decía el cuerpo y las ronchas, como si los viera crecer siempre o como si lentamente su espiral de plancha movida viera la aparición fantasmal y rosada...

J. Lezama Lima, *Paradiso*.

a. **Observa las subordinadas sustantivas que hemos subrayado y explica la presencia en ellas del subjuntivo o del indicativo.**
b. **En la última oración, aparece *como si*. Se construye siempre con subjuntivo estableciendo una comparación aproximada ('Se parece a esto, pero es claro que no lo es'). Escribe cinco ejemplos empleando *como si*.**

3.18. **Lee con atención este fragmento:**

Entre los hombres que han buscado la soledad en aras de la ciencia destaca, por sus agallas, Fernando V. Hayden, médico y geólogo norteamericano que más tarde se **hiciera** paleontólogo, y quien hace más de un siglo **recorriera** el oeste americano en busca de fósiles y nuevos territorios. En una época en que las expediciones por tierras de los indios no se efectuaban sin escolta armada, Hayden viajó solo e inerme. Más de una vez fue capturado por los pieles rojas, quienes tomándole por un bicho raro y amparado por el Gran Espíritu, se abstuvieron de hacerle daño alguno permitiéndole pernoctar en la tribu y luego proseguir su camino. Con el tiempo, al repetir sus visitas, acabaron tratándole como un viejo amigo.

Hayden dejó como estupendo testimonio de sus días de soledad en el desierto sus observaciones científicas. En una ocasión, hallándose nuestro ínclito paleontólogo en el interior de una grieta que apenas le permitía moverse, dio con el cráneo fósil de un mamífero que parecía mirarlo fijamente: "Aquella especie se había extinguido antes de haber podido percibir al ser humano y, en cuanto a mí, ¿qué especie sería aquella que jamás llegarían a ver mis ojos?".

R. Miquel, *La soledad*, Madrid, Temas de Hoy.

a. **Define las dos expresiones subrayadas, propias de la lengua coloquial.**
b. **Analiza las dos formas verbales en negrita y explica su uso.**
c. **En el texto aparecen dos ejemplos de *leísmo*. Una vez señalados, contesta a estas preguntas: ¿qué significa este concepto?, ¿en qué regiones abunda?, ¿está siempre prohibido por la norma?, ¿recuerdas con qué otros fenómenos está emparentado?**
d. **Aparece alguna forma irregular como *abstuvieron*. Señala su tiempo y modo, y el verbo al que pertenece. Sigamos con los verbos irregulares, indica el futuro imperfecto de indicativo de *satisfacer* y el pretérito indefinido de *andar* y *herir*.**

Claves

Unidad 3: La felicidad

3.1. Conjugamos los infinitivos. Prescindiremos de los casos en que exista una alternancia irrelevante entre varios tiempos verbales.

1. Lo bueno es que tú {**tienes/ tendrás/ tengas**} salud. Como ves, aquí son posibles los dos modos. Si se trata de un hecho (incluso futuro), lo que se califica como bueno aparece en indicativo. Si es un deseo (correspondiente con un hecho o no), entonces se usa el subjuntivo.
2. Lo adecuado es que Juan **pida** perdón a Esther. El subjuntivo es la única opción porque lo que está comunicándose es una instrucción que puede reducirse a un simple deseo, dependiendo de la autoridad del hablante.
3. En este enunciado hemos complicado un poco la tarea, ya que son dos los infinitivos por sustituir. Hemos actuado así, para que pienses que lo que en este punto decimos es aplicable para los otros ejemplos en

que es obligado o posible el subjuntivo. Vamos ya al ejemplo concreto. Lo mejor **{es/sería}** que te **{vayas/fueras}** de vacaciones en septiembre. Según la posibilidad de que se realice lo que al hablante le parece preferible, se recurre al presente de indicativo (mayor posibilidad) o al condicional (menor). Esta elección influye, como es fácil deducir, en el tiempo del subjuntivo seleccionado. En esta segunda elección aparece el subjuntivo porque el irse de vacaciones en septiembre no es un hecho, solo un deseo.

4. Lo triste es que ya no **{hay/habrá/haya}** tiempo. No es fácil entrar en las diferencias que supone el uso de uno u otro modo. Con el indicativo la afirmación es más segura: la falta de tiempo es un hecho; con el subjuntivo, esta afirmación pierde fuerza y con ello sus implicaciones: no es tan seguro que no haya tiempo (podemos discutirlo) y sus consecuencias.

En esta segunda serie, para decantarse por el indicativo o el subjuntivo, hay que estar atento al significado del nombre del que depende la subordinada:

5. La preocupación de que **{son/sean}** muchos no le deja tranquilo. Son posibles ambos modos. El indicativo aparece si el motivo de la preocupación es un hecho cierto; el subjuntivo se encuentra cuando este más que un hecho, representa el temor ante una amenaza sin confirmar.
6. El objetivo de que **estudie** una carrera siempre lo han tenido sus padres. En este ejemplo, solo es posible el subjuntivo dado que se trata de un proyecto, no de un hecho.
7. La razón de que **{está/esté}** a menudo de malhumor se encuentra en su propia vida. En los dos casos se trata de un hecho indudable, lo que ocurre es que en el subjuntivo se presenta como algo ya sabido, evidente (quizá el interlocutor ya lo ha dicho y el hablante se hace eco), por tanto, secundario informativamente.
8. La posibilidad de que nos **veamos** esta semana es remota. El mismo nombre *posibilidad* ya indica que la subordinada con subjuntivo no representa un hecho.
9. El hecho de que la **encontrara** fue una casualidad. La explicación en este caso, como en *La razón...*, debe buscarse en el carácter ya sabido, poco informativo de que la encontrara. Esta construcción es muy habitual, tanto que puede suprimirse *hecho: (El) que la encontrara fue una casualidad.*

3.2. **a.** Fueras donde fueras, no escaparías de la justicia./Vayas donde vayas, no escaparás de la justicia. El imperfecto de subjuntivo (fíjate que se combina con el condicional) considera el suceso de que se vaya el destinatario como más improbable, menos seguro de que vaya a producirse (aunque el interlocutor lo haya anunciado). Ojalá llegue a la hora./Ojalá llegara a la hora. La explicación es parecida al caso anterior: el presente indica la mayor cercanía de la hora esperada.

b. La explicación del distinto comportamiento del verbo *saber* en estos tres ejemplos nos permitirá profundizar en la relación entre subjuntivo y negación.
En *No sabía que llevasen un mes juntos* se manifiesta la clara relación entre el carácter negativo del predicado principal y el modo subjuntivo. Sin embargo, en *¿No sabías que llevan un mes juntos?* tenemos indicativo. La razón es que en esta interrogativa el hablante está dando por cierto el tiempo que llevan juntos, y solo pregunta si este hecho es sabido por su interlocutor.
El tercer enunciado *(Sé que no viene)* te lo hemos puesto para que veas que la negación que pesa a la hora de seleccionar el subjuntivo es la del predicado principal, no la del subordinado.

3.3. Los verbos de influencia son muy numerosos (reflejo de las múltiples posibilidades de la lengua para representar el deseo de controlar la conducta de los otros). Estos son algunos:

- Se **aconseja** que nadie se bañe nada más terminar de comer.
- **Ha conseguido** que nadie le hable.
- No me **dejan** que vea al prisionero.
- El alcalde **ha mandado** que retiren aquella estatua.
- **Necesito** que me hagas ese favor.
- **Se opuso** a que le dieran el puesto a Álvarez.
- El director **permitió** que se usara el salón de actos para la fiesta.
- La guardia civil **prohibió** que se circulara por el carril de la izquierda.
- **Quiero** que me devuelvas el CD.
- Me **ha rogado** que le deje dos días más para entregar el trabajo.

3.4. Nosotros también seguimos con los nuestros:

- Se aconseja que nadie se bañe nada más terminar de comer. → No se aconseja a nadie bañarse... Como ves, ha habido que hacer alguna modificación además de la sustitución del subjuntivo. La más llamativa es la presencia de la negación delante del verbo de influencia a causa de que *nadie* ha pasado a depender de él. *Nadie* cuando va delante de su verbo no requiere otra negación *(Nadie vino)*, pero cuando se pospone, como aquí, la necesita *(No vino nadie)*. Por otro lado, esta necesidad de empezar con una negación supone un cambio en el significado de la oración; ya no se trata de un consejo para que la gente no haga algo, sino de desaconsejar una conducta. Es un pequeño cambio.

- Ha conseguido que nadie le hable. ➜ Aquí no es posible el infinitivo. ¿Cuál es la clave? Que en el predicado principal no hay ningún constituyente fundamental (sujeto, objetos directo o indirecto) que coincida con el sujeto de la subordinada. Si te fijas, esto sí ocurría en el ejemplo anterior, donde *nadie* era el objeto indirecto de *no aconsejar* y el sujeto de *bañarse*.
- No me dejan que vea al prisionero. ➜ No me dejan ver al prisionero. Este ejemplo prueba lo que acaba de decirse: el infinitivo es posible por esta coincidencia con el sujeto de la subordinada.
- El alcalde ha mandado que retiren aquella estatua. ➜ El alcalde ha mandado retirar... El infinitivo es posible porque su sujeto sin especificar coincide con el objeto indirecto también sin especificar de *ha mandado* (*ha mandado a alguien* ➜ *alguien retirar...*).
- Necesito que me hagas ese favor. ➜ No es posible el infinitivo porque falta la coincidencia (el sujeto de *necesito* es *yo*, y el sujeto de *hagas, tú*).
- Se opuso a que le dieran el puesto a Álvarez. ➜ Tampoco es posible el infinitivo al no darse la coincidencia. Sí sería posible si el sujeto de *oponerse* coincidiera con el de *dar* ➜ *Se opuso a darle el puesto a Álvarez.*
- El director permitió que se usara el salón de actos para la fiesta. ➜ El director permitió usar... Si te fijas, la explicación de este caso es la misma que la de *El alcalde...*
- La guardia civil prohibió que se circulara por el carril de la izquierda. ➜ La guardia civil prohibió circular... La razón del infinitivo vuelve a repetirse: coincidencia entre un objeto indirecto (podían ser los automovilistas) sin especificar del verbo principal y el sujeto de la subordinada.
- Quiero que me devuelvas el CD. ➜ No es posible el infinitivo por las circunstancias mencionadas. Sí lo sería en *Quiero devolver el CD*, ¿a que ya sabes por qué?, ¿por qué en cambio aquí no podría darse **Quiero que yo devuelva el CD*? Primero, observa que en este caso ya *querer* deja de ser verbo de influencia para convertirse en un verbo de deseo. Segundo, fíjate en que la coincidencia ya no es entre el objeto indirecto de la principal y el sujeto de la subordinada, sino entre los dos sujetos.
- Me ha rogado que le deje dos días más para entregar el trabajo. ➜ ?Me ha rogado dejarle... Le hemos puesto el signo de interrogación porque la transformación produce un resultado algo extraño, lo que nos hace pensar que en ocasiones no basta con la simple coincidencia entre los dos constituyentes de ambos predicados.

3.5. En una cultura como la española, en la que la solidaridad es muy importante, más que el respeto y la distancia, es normal encontrar la orden directa en circunstancias donde en otras sorprendería. Por esto mismo, el mandato directo puede ser incluso utilizado como manifestación cortés sobre todo si va acompañado de modificadores que atenúen su brusquedad *(¡Quédate un poquito más!)*. Esto no quiere decir que sea siempre recomendado, las circunstancias una vez más son decisivas. Dicho esto, pasamos a las modificaciones gramaticales:

- Sal ➜ Salga ud. ➜ No salgas. ➜ Que salgas. ➜ Tienes que salir. ➜ ¡Tú sales! ➜ ¡A salir!
- Ve ➜ Vea ud. ➜ Que veas... *Ver* se resiste a todas las transformaciones; la clave reside en que *ver* no tiene el sentido *intencional* que pueden adquirir los otros verbos de esta lista, y difícilmente puede mandarse sobre lo involuntario. Todo cambiaría si el verbo hubiera sido *mirar*. Como eres una persona reflexiva habrás pensado en el *a ver* tan empleado en las conversaciones *(A ver, ¿qué quieres?)*. Sin embargo, no es un ejemplo que pueda contradecir las dificultades de las transformaciones de *ver* que acaban de comentarse. Este *a ver* no es un mandato que se dirija a nadie.
- Calla ➜ Calle ud. ➜ Que (te) calles. ➜ Tienes que callar(te). ➜ ¡Tú (te) callas! ➜ ¡A callar! En algún caso, habrás visto que es más aconsejable la construcción pronominal. Lo mismo ocurre con *reír*.
- Entra ➜ Entre ud. ➜ Que entres. ➜ Tienes que entrar. ➜ ¡Tú entras! ➜ ¡A entrar!
- Ríe ➜ Ría(se) ud. ➜ Que(te) rías. ➜ Tienes que reír(te). ➜ ¡Tu (te) ríes! ➜ ¡A reír(se)!

3.6. La razón para optar por un modo u otro se encuentra en el atributo de estas oraciones copulativas. Si este solo refiere un hecho, habrá indicativo (lo que no ocurriría si se negara); el subjuntivo aparecerá si lo representado no son los hechos, sino los contenidos subjetivos de conciencia:

1. Es cierto que **llovió mucho ayer**.
2. Es preferible que **llueva pronto**.
3. Es increíble que **lloviera tanto ayer**.
4. Es verdad que **llovió mucho ayer**.
5. Es necesario que **llueva pronto**.
6. Es problemático que **llueva pronto**.
7. Es un disparate que **digas eso**.
8. Es evidente que **llovió mucho ayer**.
9. Es imposible que **llueva pronto**.

3.7. **1.** No creo que **venga**.
2. No he visto que **necesite** ayuda.
3. Nunca imaginé que **viniera** más tarde.
4. No comprendo que los errores **sean** por ese motivo.
5. No observo que **falten** tres.

3.8. Fíjate bien en cómo el subjuntivo anula la implicación.
1. Estás enfermo, quédate en casa.
Que **estés** enfermo no es razón para que **te quedes** en casa.
Aunque **estés** enfermo, no tienes por qué quedarte en casa.
2. Llegó a tiempo, pudo entregar el documento en el plazo.
Que **llegara** a tiempo no asegura que **entregara** el documento.
Por más que **llegara** a tiempo, no pudo entregar el documento.
3. Te ayuda todos los días, es un amigo de verdad.
Que te **ayude** todos los días, no quiere decir que sea un amigo de verdad.
Aunque te **ayude** todos los días, no es un amigo de verdad.

3.9. La imposibilidad del subjuntivo se encuentra en algo que se dijo en las claves de 3.4.: cuando el sujeto de los dos verbos coincide, el de la subordinada ha de ser un infinitivo.
1. *Quiero que venga (yo). → Quiero venir.
2. *Lamento que llegue (yo) tan tarde. → Lamento llegar tan tarde.
3. *Te gusta que salgas de vacaciones. → Te gusta salir de vacaciones.

3.10. **1.** Ojalá **venga** pronto.
2. Quizá **esté** ya bien.
3. **Sea** lo que Dios **quiera**. Esta frase hecha refleja una actitud resignada de quien cree que ya no puede hacer nada por su parte en una situación difícil.
4. Que **aproveche**. Es una fórmula cortés, poco usada por la gente joven, que se dice cuando se pasa delante de alguien que está comiendo, generalmente, un extraño y, en consecuencia, con el que no se va a comer.
5. ¡**Viva** España! Exclamación patriótica.

3.11. Los ejemplos de subordinada con infinitivo son fáciles, salvo casos excepcionales (por ejemplo, el ambiguo *No tiene que comer)* el infinitivo es incompatible con la conjunción. Sobre los dos ejemplos con subjuntivo donde se da también esta omisión, son verbos, uno de voluntad (*esperar* en este caso expresa un deseo) y otro de temor, cuya subordinada se refiere al futuro. Estos son los verbos en los que con más frecuencia se produce esta ausencia de *que*, que por lo demás no es muy normal.

3.12. En efecto, es frecuente el hecho de que, según el sentido que presente, se construya el verbo principal con subjuntivo o indicativo. El ejercicio nos ha permitido volver sobre esta interesante cuestión y reafirmar la relación entre el indicativo y lo que se representa como un hecho del que hay que informar; y el subjuntivo y lo que no se representa como tal o del que estrictamente no se informa, por ser ya algo conocido:
1. Siento ('lamentar') que {**hayas sufrido/sufrieras**} una caída. Hay que utilizar en este caso un pretérito de subjuntivo porque la caída es un hecho ya sucedido que se lamenta en el presente.
2. Dice ('anunciar') que se **irá** el martes.
3. Veo ('parecer') bien que **se casen** Ricardo y Eloísa.
4. Me temo ('sospecho') que no lo **veré** más.
5. Sintió ('intuir', 'presentir') que lo **iban a despedir**.
6. Dijo ('ordenar') a los niños que **recogieran** los juguetes.

3.13. Por su propia naturaleza (no informa estrictamente de hechos y representa a menudo deseos, esperanzas, temores), las formas de subjuntivo se cargan a menudo de un valor de futuro respecto a su forma correspondiente de indicativo. Este es un dato fundamental, el otro es que, por su habitual condición de forma subordinada, el valor temporal del subjuntivo tiene mucho que ver con el verbo principal. Vamos a analizarlo todo con un poco de detalle mientras respondemos al ejercicio.
1. Después de que lo hayas visto, hablas. Ambos acontecimientos no se han producido, son futuros por tanto. El perfecto de subjuntivo expresa un futuro anterior, justamente porque cuando se produzca, autorizará lo expresado por el presente.
2. Sentiría que se fuera sin verte. El imperfecto de subjuntivo representa un futuro. Su presencia se relaciona con el condicional *sentiría*. El hablante expresa un deseo de manera más bien indirecta, de ahí el condicional y el imperfecto de subjuntivo. Si hubiera sido más directo, habríamos tenido: *Siento que se vaya sin verte.*
3. Me gusta que estés con nosotros. El hablante ha sido aquí más directo. Lo que no está claro es si el contenido del enunciado representa la satisfacción ante un suceso presente o el deseo de que se produzca algo.

3. Me dijo que aparcara el coche delante de la puerta a las doce. Está claro que la orden se ha producido en el pasado, pero no sabemos si su contenido (lo representado por *aparcara*) se ha cumplido ya, entonces el subjuntivo representa un pasado; o no se ha hecho, con lo que habrá que pensar en un futuro. En cualquier caso, el subjuntivo refleja algo posterior a *dijo*.
5. Quizá tenga un niño. Seguimos con las ambigüedades. Puede que tenga un niño (presente) o que haya pensado en tenerlo (futuro). Se trata en ambas posibilidades de algo hipotético.
6. Si lo hubiera hecho, otro gallo le cantara. La segunda parte de la condicional es una frase hecha que comunica que de haberse cumplido la condición de la que depende, habría sucedido algo bastante mejor. Se trata de una condicional irreal, ya no puede producirse porque su tiempo pasó. En resumen, ambos subjuntivos representan un pasado, ese fue su tiempo; pero un pasado que nunca ha existido, lo que es parcialmente propio del futuro.
7. Ojalá llegara a tiempo. Estamos ante un futuro, en el que no confía mucho el hablante. Si tuviera más esperanza, habría optado por *Ojalá llegue a tiempo*.
8. Negó que ella tuviera los apuntes de Isabel. La negación ha sido realizada en el pasado; así pues, *tuviera* se refiere a este tiempo. Por esto mismo, el enunciado podría seguir con: *lo que no quiere decir que ahora los tenga*.

3.14. Vamos con las definiciones que realizaremos basadas en sus componentes greco-latinos:

1. Monomanía: en griego, *monós* es 'uno solo', y *manía*, 'locura'. Por tanto, el compuesto designa una locura, o más suavemente una manía, cuyo núcleo es una idea obsesiva.
2. Anfiteatro: *anfi-* significa 'alrededor de'. La palabra representa un edificio, o unas gradas, cuya característica es estar construidos alrededor de la escena del teatro o del cine.
3. Herbívoro: *-voro* es un sufijo latino relacionado con *devorar*. *Herbívoro* es el animal que se alimenta de hierba, o más propiamente de vegetales. El adjetivo para la persona que no come carne es *vegetariano*.
4. Parricidio: *-cidio* es otro sufijo latino, significa 'acción de matar'. No lo confundas con *-cida*, que se emplea para el que mata (por ejemplo, parricida). *Parricidio* es propiamente el nombre del delito de matar a un padre o una madre, y, por extensión, a un pariente.
5. Voraz: este adjetivo de origen latino denota una gran ansiedad al comer. Seguro que te recuerda al sufijo *-voro*, que acaba de verse.
6. Homogeneidad: *homós-* en griego significa 'el mismo'. Así, *homogeneidad* es la cualidad de todo aquello constituido por elementos semejantes o idénticos.
7. Monótono: ya ha aparecido el prefijo griego *monós-* 'uno solo'. *Monótono*, etimológicamente, 'un solo tono', es un adjetivo para calificar a algo de 'repetitivo, sin relieve, y, por tanto, pesado'.
8. Omnívoro: otro adjetivo con *-voro*, combinado aquí con el prefijo latino *omni-* 'todo'. Su significado, consecuente, es 'aquel que admite en su alimentación cualquier tipo de alimento, ya que se alimenta de todo'.
9. Homónimo: la repetición es ahora con el griego *homós-*. *Homónima* es aquella palabra que se pronuncia igual que otra distinta (si se escribe igual es también *homógrafa*). Es lo que sucede con *chatear*[1] 'tomar chatos' (nombre popular del vaso de vino en Madrid) respecto a *chatear*[2] 'mantener una conversación electrónica (un *chat*)'.
10. Anfibio: el prefijo griego *anfi-* cambia aquí ligeramente de significado frente a lo que se veía en anfiteatro. Aquí para representar a la especie animal (a la que pertenecen, por ejemplo, las ranas) significa 'doble', se entiende 'doble vida (a ella apunta *-bio*), en el agua y en la tierra firme'.

3.15. El manejo de estas locuciones requiere conocer su significado, pero también sus circunstancias de uso, ya que es fácil cometer errores en un fenómeno que se conoce como *ultracorrección*. Por eso, son más habituales entre hablantes cultos.

1. *Magister dixit:* 'el maestro así lo ha dicho'. Esta expresión se utiliza irónicamente (este no era su sentido original) como comentario ante las palabras de alguien pronunciadas con un exceso de suficiencia y autoridad'. Este es nuestro ejemplo: A: –Eso es achacable al idealismo de la juventud. B: *–Magister dixit.*
2. *In illo tempore:* 'en aquel tiempo'. Se emplea para referirse a un tiempo lejano e indeterminado. "*In illo tempore*, se trabajaba a conciencia".
3. *Ipso facto:* 'ahora mismo'. Se emplea en órdenes en las que se exige un cumplimiento inmediato. "Ven *ipso facto*".
4. *In dubio pro reo:* 'en caso de duda, se optará por lo mejor para el acusado'. Esta locución judicial ha pasado irónicamente a la jerga de los profesores que la emplean cuando dudan a la hora de calificar a un alumno. A: –No sé si aprobar o suspenderlo. B: *–In dubio pro reo.*
5. *Ad hominem:* 'contra el hombre'. Esta expresión se emplea para aquellas argumentaciones en las que se descalifican unas ideas, solo por la personalidad de quien las defiende. A: –Esa afirmación es disparatada, mira quién la sostiene. B: –Ese es un argumento *ad hominem*.
6. *Ad libitum:* 'a placer'. "Puedes escoger *ad libitum*".
7. *Ad litteram:* 'al pie de la letra'. "Es una interpretación *ad litteram*".
8. *Post scriptum:* 'después de lo escrito'. Se emplea (a menudo, abreviado P.S.) para esos añadidos que aparecen al final de una carta, una vez firmada. Un sinónimo más empleado es *pos(t)data*. "Me dijo en el *post scriptum* que quería que siguiéramos siendo buenos amigos".

3.16. El análisis del sentido de estos conectores necesita la explicación del contexto, en el que el modo verbal es muy importante.

1. *Como* no estabas, se marchó. → Causal, equivale a 'porque'.
2. *Como* no estés a tiempo, se marchará. → Condicional, equivale a 'si'.
3. Ven, *que* te vea. → Sentido final, equivale a 'para que'.
4. Vete, *que* nunca te encuentro cuando te necesito. → Causal, equivale a 'porque'.
5. Ayudó *de tal manera que* terminó agotado. → Consecutivo, equivale a 'tanto que'.
6. Ayudó *de tal manera que* nadie se acordara de lo ocurrido. → Final, equivale a 'para que'.

Date cuenta, como verás más adelante en la Unidad 11, de la relación entre las oraciones causales y el indicativo, y las finales y el subjuntivo. ¿A que esta correspondencia es bastante lógica? Las causas son en principio hechos que existen previamente y los fines representan objetivos, que por su propia naturaleza no existen todavía.

3.17. **a.** Analicemos primeramente el modo de las subordinadas sustantivas subrayadas:

- *Parecía una azafata que con un garzón en las manos iba retrocediendo. Parece* es un verbo que puede ir con indicativo o subjuntivo *(Parece que {son, sean} cuatro).* En ambos casos, *parecer* sirve para realizar afirmaciones débiles, poco firmes. Con el indicativo el hablante está más seguro de que se trata de un hecho cierto, como cuando decimos *Creo que son cuatro.* Con el subjuntivo hay menor seguridad, ya no se trata de *creer* sino más bien de *suponer, imaginar.*
- *Necesitaba ya que la socorrieran.* El subjuntivo está claro al no tratarse de algo que el hablante se representa como un hecho, sino como la necesidad de algo que no se posee.
- *Veía el cuerpo que se extendía.* Ver representa la percepción física de un hecho, que lógicamente va en indicativo.
- *Fingió que buscaba a la otra pareja de criados. Fingir* significa 'hacer creer que algo es cierto, pasar algo falso como verdadero'. Lo que se presenta aquí como verdadero, no siéndolo, va en indicativo. La razón, que nos muestra las sutilidades a que puede dar lugar el sabio empleo de los modos verbales, es que el hablante sabe que la ficción fue una verdadera ficción, por lo que el sujeto ha intentado engañar.

b. En efecto, *como* se emplea para establecer entre dos sucesos o situaciones una relación de igualdad o semejanza. El condicional *si* se agrega para indicar la irrealidad del segundo de los sucesos o situaciones. El resultado de la combinación es este sentido de comparación aproximada, porque el segundo término de esta, que tiene *como si*, es irreal. Estos son nuestros cinco ejemplos:

- *Lo conozco como si fuera mi hermano* (no lo es, pero débilmente lo parece).
- *La trata como si fuera su esclava* (no lo es, pero su forma de tratarla lo recuerda).
- *Actúa como si hubiera hecho algo* (no lo ha hecho, pero lo parece).
- *Andaba como si estuviera borracho* (seguramente no lo está, aunque da la impresión).
- *Gasta como si en casa fuéramos ricos* (no lo somos, pero él parece ignorarlo o quiere dar esa impresión falsa).

3.18. **a.** Vamos primero con las expresiones coloquiales:

- *Agallas.* En un sentido literal, designa ciertos elementos que sobresalen en algunos vegetales y en los peces; pero en el registro coloquial tiene el sentido figurado de 'valor'. La explicación se encuentra en una relación metafórica entre las agallas literales y los atributos masculinos.
- *Bicho raro.* Expresión despectiva para referirse a alguien extraño, al margen del grupo y la comunidad. Es una metáfora como lo es también *bulto sospechoso,* que se utiliza a veces con una finalidad semejante; o la exageración de *Es más raro que un perro verde.* Entre los españoles, el adjetivo *raro* a menudo adquiere sentidos negativos *(Pedro es algo rarito, huele raro...).*

b *Hiciera* y *recorriera* son dos pretéritos imperfectos de subjuntivo. Lo interesante es que muestran un sentido arcaico, muy presente en el español de gallegos y asturianos, de pretérito de indicativo ("que más tarde se hizo paleontólogo", "y quien hace más de un siglo recorrió..."). Ya decimos que es un uso arcaico, culto, que puede aparecer en notas biográficas como esta.

c. Como verás en la siguiente Unidad 4, el *leísmo* es un empleo incorrecto del pronombre átono *le* y su plural como objeto directo, esto es, en lugar de *lo* o *la.* Los ejemplos del fragmento, admisibles como verás a continuación, son:

"...quienes tomándo**le** por un...". Debe decir: "...quienes tomándo**lo**", "...acabaron tratándo**le** como un viejo amigo...". Debe decir: "...acabaron tratándo**lo** como un viejo amigo...".

El leísmo se da en todas partes, pero de modo muy acusado en la zona centro de España y en Castilla-León. A pesar de que es una incorrección, la Real Academia Española tolera el leísmo cuando va en singular y representa un objeto directo masculino y de persona. Está relacionado con el *laísmo* (empleo del pronombre *la* como objeto indirecto) y el *loísmo* (uso del pronombre *lo* como objeto indirecto). Estos son dos empleos muy vulgares, que no se admiten en caso alguno. Se dan solo en las zonas donde abunda el leísmo.

d. *Abstuvieron* es el pretérito indefinido de *abstener* (se conjuga igual que *tener*).
Satisfaré, satisfarás, satisfará... son las formas del futuro imperfecto de indicativo.
Anduve, anduviste, anduvo... es la forma del pretérito indefinido de *andar. Herí, heriste, hirió...,* la de *herir.*

Unidad 4: La publicidad

Formas de mandato y leísmo

4.1. **El imperativo solo cuenta con dos formas propias: las dos segundas personas (*tú* y *vosotros*), la primera de las cuales puede confundirse con la tercera persona del singular del presente de indicativo (*¡calla!, él calla*). Vamos a poner a prueba tu rapidez de respuesta y conocimientos, indica lo que pueden ser:**

1. Fuera: ....
2. Sal: ....
3. Sé: ....
4. Ve: ....

4.2. **La segunda persona del singular del imperativo –en el ejercicio anterior había algún ejemplo– en ciertos verbos pierde su vocal final: *pon la mesa.***

Cita cuatro verbos de raíces distintas en los que se dé esta pérdida. Reflexiona acerca de si es posible extraer alguna conclusión respecto a este hecho.

....

4.3. **Ya has visto que en español existen distintas posibilidades para formular órdenes de manera directa: el modo imperativo, el presente de subjuntivo, el presente de indicativo, la fórmula *A* + INFINITIVO, *A* + SINTAGMA NOMINAL, el futuro imperfecto de indicativo. Su uso está regulado por reglas gramaticales y normas comunicativas.**

Con las instrucciones que te damos y el infinitivo que representa el contenido de la orden, escoge la construcción más adecuada:

1. (Mandato dirigido a una persona a la que se trata de ud.) (Irse) .... de aquí y no (volver) ....
2. (Mandato dirigido a un perro) (Entrar) .... en casa.
3. (Mandamiento divino) No (decir) .... falsos testimonios ni (mentir) ....
4. (Mandamiento con la firme confianza en que el destinatario va a obedecer, con el que hay una especial relación de solidaridad con nosotros) (Quedarse) .... con nosotros un poco más.

4.4. **Pon en segunda persona del plural los siguientes enunciados. Luego, dado que son órdenes sobre realidades cotidianas y que reflejan mucha confianza, ¿podrías abreviarlas?**

1. ¡Acércame la chaqueta! ....
2. ¡Abre la puerta del garaje! ....
3. ¡Límpiate los zapatos antes de entrar! ....
4. ¡Apaga la televisión! ....

4.5. **¿Qué diferencia encuentras entre *¡Que viene!* y *¡Que venga!*?**

4.6. **El imperativo a menudo se agrupa con los pronombres personales constituyendo formas como *Quítaselo (quita + se + lo)*. Pon la tilde en las formas que lo requieran.**

1. Da + me + lo: ....
2. Está + te (quieto): ....
3. Mira + lo: ....
4. Recoge + se + lo: ....

Ha quedado claro que con el imperativo los pronombres se colocan detrás. ¿En qué otras formas verbales ocurre esto?, ¿y en cuáles no?

4.7. **La agrupación entre la segunda persona del plural del imperativo y el pronombre *os*, que va concordando con el sujeto, es a veces conflictiva, pues exige algún reajuste en el imperativo: *quitad* + *os* → *quitaos*. Escribe unido al pronombre *os* los imperativos de:**

1. Lavar: ....
2. Marchar: ....
3. Salir: ....
4. Servir: ....
5. Beber (la jarra): ....
6. Ir:..

Lo mismo sucede en esos mandatos con la primera persona del plural del presente de subjuntivo, en los que el verbo exige el pronombre *nos*: *sentemos* + *nos* → *sentémonos*. Con los verbos anteriores escribe la primera persona del plural del presente de subjuntivo unida a *nos*.

4.8. ***Que te* + SUBJUNTIVO + *te {digo/ he dicho}* (*Que te calles te digo*) y *te tengo dicho que* + PRESENTE DE SUBJUNTIVO (*Te tengo dicho que te calles*) transmiten un mandato bastante directo (por tanto, irrespetuoso) y, al mismo tiempo, la impaciencia por que una orden tenga que repetirse. Expresa estos mandatos sirviéndote de ellos:**

1. No poner la música después de las 10...
2. Recoger tus cosas...
3. Entregar los trabajos a tiempo...
4. Hacer tus ejercicios...

***Que* + PRESENTE DE SUBJUNTIVO (*Que te calles*) está muy cercano a esta modalidad del mandato. Aplica esta construcción a los ejemplos anteriores. ¿Los resultados son semejantes a los observados con las otras dos construcciones?**

4.9. **A menudo en letreros públicos se encuentran instrucciones genéricas formuladas de modo cortés, aunque de cumplimiento bastante obligatorio dado que quien las realiza cuenta con la fuerza de la autoridad. De acuerdo con las posibilidades que aparecen en el Libro del alumno (págs. 64-65), escribe tú tres de estas instrucciones de acuerdo con estos contenidos:**

1. Prohibición de lavar los coches en este lugar.
2. Prohibición de dejar sola alguna bolsa o mochila de viaje.
3. Obligación de girar a la derecha en un cruce por parte de los automovilistas.

4.10. **El imperativo como cualquier otra de las formas para dar órdenes a personas concretas comunica el deseo de que esta se cumpla de manera inmediata y efectiva, sin quejas. Como siempre es posible la resistencia de la persona mandada, existen diversos recursos para intensificar la acción, como la repetición del imperativo o expresiones que se añaden como *de una vez, pero ya, que ya está bien, que me tienes hasta la coronilla, se acabó, y sin rechistar*... Emplea uno de ellos en cada uno de estos ejemplos:**

1. ¡Deja eso ....!
2. ¡Trae el libro ....!
3. ¡Termina el ejercicio......................!
4. ¡Hazte la cama..............................!
5. ¡Sal de ahí ....!

4.11. **Ahora de lo que se trata es de las maneras de atenuar el impacto de un mandato. Para ello, existen también fórmulas justificativas como *que (no)* + PRESENTE DE INDICATIVO, u otras de carácter cortés como *por favor, si no te importa, si eres tan amable*, o la misma repetición del imperativo que puede ser más suave que una sola aparición del imperativo, con una entonación adecuada (*¡Ven, ven!*). Emplea alguna de ellas en estos huecos:**

1. ¡Calla ....!
2. ¡Deja eso ....!
3. ¡Trae el libro ....!
4. ¡Termina el ejercicio......................!
5. ¡Hazte la cama..............................!
6. ¡Sal de ahí ....!

Ya que se trata de atenuar una orden, ¿conoces alguna fórmula con la que se inicia una petición, a menudo una orden encubierta y muy usada en carteles y avisos? La respuesta está en el ejercicio 4.9.

4.12. **¿En qué consisten las diferencias entre estas cuatro formas de pedir algo?**

1. ¿Tienes un caramelo de menta?
2. ¿Me das un caramelo de menta?
3. ¿Me dejas un boli?
4. ¿Me prestas un boli?

Si la petición fuera de más importancia, por ejemplo para pedir prestado un millón de euros, ¿serían adecuadas estas fórmulas?

4.13. **Las peticiones y las órdenes pueden ser rechazadas de muy diversos modos. Entre las fórmulas de rechazo se encuentran algunas muy directas y, en consecuencia, descortes. Por ejemplo: *jamás de los jamases, en modo alguno, de ninguna manera, tararí que te vi...* ¿Serían muy oportunas para responder a las peticiones del ejercicio anterior?**

4.14. **Existen otras fórmulas que aparecen en situaciones próximas, pero ligeramente diferentes, como:**

Santa Rita, Rita lo que se da, no se quita.
A otro perro con ese hueso.

Averigua lo que comunican, en qué situaciones se utilizan y escribe un ejemplo para cada una de ellas.

4.15. **Coloca adecuadamente *le, lo* o *la* (o sus plurales):**

1. No pienso saludar ...., después de la faena que .... ha hecho.
2. .... robaron el móvil a aquel turista cuando .... estaban indicando una dirección.
3. No es tan fiero el león como .... pintan.
4. No .... hagas, te arrepentirás luego de no haber .... pensado mejor.

4.16. **Sustituye ahora los sintagmas subrayados por el pronombre personal átono de tercera persona adecuado. La sustitución exigirá un cambio en el ordenamiento de la oración (recuerda 4.6.):**

1. Has hecho muy felices <u>a tus compañeros</u>. ....
2. No dejes sola <u>a la niña</u>. ....
3. Contó todo lo ocurrido <u>a su novio</u>. ....
4. Rompió <u>el vaso</u> sin querer. ....

4.17. **Señala los casos de *leísmo, loísmo* o *laísmo* presentes en algunos de estos enunciados. Cuando aparezcan, le pones un asterisco al enunciado incorrecto y luego lo corriges:**

1. No la gustó que la dijeras eso.
2. La vio y la llamó "María".
3. La quemó su peluquería.
4. Los bomberos les desalojaron del edificio.
5. No le creo, aunque me lo jure.

4.18. **Con el *se* impersonal, aun en las regiones no leístas, como objeto directo, solo se combinan *le* o *la* (y sus plurales), según el género de sus referentes. De acuerdo con esta información, procede a la sustitución de los nombres de los siguientes enunciados por el pronombre correspondiente:**

1. Se mata al cerdo en noviembre en estas tierras. ....
2. Se miraba a esa mujer con desconfianza. ....
3. No se siente acercarse a tu hermano. ....
4. Se pondrá una marca a las casillas de la izquierda. ....

4.19. **En los dos ejercicios precedentes, has podido ya ir viendo que el asunto del *leísmo* es bastante más complejo de la simple norma general. Mira a ver si descubres alguna diferencia en el significado de:**

1. Se le vio./Se lo vio.
2. No lo veo./No le veo.
3. No lo escucho./No le escucho.
4. Le pegó./Lo pegó.

4.20. **No pienses que la presencia de estos pronombres se explica solo en términos de sustitución voluntaria de un nombre. A veces la presencia del pronombre es obligatoria, aunque el nombre esté también presente. Es lo que sucede cuando el complemento directo o indirecto se anteponen al verbo: *A María la han visto por ahí (Han visto a María por ahí)*. Incluso, a veces lo único obligatorio es el pronombre: *Le hace falta dinero a Isabel (*Hace falta dinero a Isabel)*.**

Coloca el complemento directo o indirecto delante del verbo en estos enunciados:

1. Han detenido a esos seis terroristas.
2. Vi el otro día a Nicole Kidman en una película de intriga.
3. Llamé al técnico del ordenador.
4. Dieron el visado a Noelia.
5. Pararon en un control de alcoholemia a mi compañero de piso.

4.21. **Lee con atención este diálogo entre un matrimonio, veintiún años casados, y su psicoterapeuta.**

Psicoterapeuta: ¿Así que ud. dice que no recibe de su esposo la información que necesita para saber si ud. se está comportando bien o mal?

Esposa: Exactamente.

Psicoterapeuta: ¿La critica Dan cuando lo merece, quiero decir, en forma positiva o negativa?

Marido: Rara vez la critico.

Esposa *(simultáneamente)*: Rara vez me critica.

Psicoterapeuta: Bien, ¿cómo sabe ud. ...?

Esposa *(interrumpiéndole)*: Él me elogia *(breve risa)*. Verá ud., eso es lo más confuso... Suponga que yo cocino algo mal un alimento o lo quemo, entonces él dice que está "muy rico". Después, si hago algo que está muy rico, entonces me dice que está "muy, muy rico". Le dije que no sé cuándo algo está muy rico, que no sé si me critica o me elogia. Porque él cree que al elogiarme puede hacer que yo me supere... El siempre me hace elogios, así es, de modo que yo pierdo el valor del elogio.

J. A. Marina, *La inteligencia fracasada. Teoría y práctica de la estupidez.*

a. **¿Cuál es el motivo de la queja de la mujer? Si lo has entendido bien, te habrás dado cuenta de que no basta con la cortesía para agradar. Es más, esta puede resultar contraproducente. ¿Qué piensas sobre este asunto?**

b. **En el fragmento, aparecen dos órdenes *(verá, suponga ud.)* ¿te parecen bruscas y descorteses? ¿Hay algún otro caso en el que pueda pensarse en descortesía?**

c. **¿Se dan algún leísmo o laísmo?**

d. **En el texto se encuentran entre comas en forma de incisos *quiero decir* y *así es*. ¿Qué clases de unidades son, qué significan?**

Claves

Unidad 4: La publicidad

4.1. Estamos ante un ejemplo claro de lo que los lingüistas llaman homonimia:

1. Fuera. Es el pretérito imperfecto de subjuntivo de *ser (Si yo fuera rico...)* e *ir (Le dije que fuera al supermercado)*; pero también puede ser un adverbio de lugar, muy empleado en órdenes tajantes, nada respetuosas, por lo que sus destinatarios ocupan una posición clara de inferioridad (niño, mascotas, subordinados sociales o profesionales) *(¡Fuera! He dicho que fuera)*.
2. Sal. Es la segunda persona del singular del imperativo de *salir (Sal de una vez)*. Asimismo, es el nombre de esa sustancia blanca con que se sazonan los alimentos *(Se te ha olvidado la sal)*.
3. Sé. Puede ser la primera persona del singular del presente de indicativo del verbo *saber (Yo sólo sé que no sé nada)* o la segunda persona del singular del imperativo de *ser (Sé más inteligente)*.
4. Ve. Es la segunda persona del singular del imperativo de *ir (Ve por ahí)* o de *ver (Ve mejor otra vez el aviso)*, aunque en este segundo caso lo más correcto es emplear por su carácter intencional *mira*. También es la tercera persona del singular del presente de indicativo de *ver (Él no ve nada después del accidente)*.

4.2. *Haz, ven, sal, ten...* A la vista de estos ejemplos, el fenómeno se limita a los verbos en *-er* e *-ir*, y el resultado es un monosílabo acabado en *-l, n* o *z*, consonantes normales en posición final. Esta impresión la confirman casos donde la apócope no es posible como *pide, vive, come, huye, ruge, cose...* Sin embargo, no podemos extraer una ley general de cumplimiento automático para la pérdida de la vocal final en la segunda persona del singular del imperativo basándonos en la consonante que queda al final, pues hay casos como *huele*, donde no se da la apócope aunque quedara como final la *-l*.

4.3. En todas las órdenes hay una apelación a un destinatario para que realice algo que espontáneamente, se supone, no realizaría. El ejercicio te ha permitido reflexionar sobre algunos modos de ordenar y sus peculiaridades.

1. ¡**Váyase** de aquí y no **vuelva**! A pesar del tratamiento de *usted*, el mensaje es muy poco cortés, por el poco respeto que supone. Aún sería más grosero reducido a *¡fuera!*
2. ¡**A casa**! La condición de animal del destinatario justifica un mensaje tan simple y directo. No sería extraño tampoco dirigido a un niño pequeño. Cuanto menos respeto se le tiene a quien se dirige la orden, más evidente es su contenido y, por tanto, menos cuesta hacerla; más breve suele ser. Lo verás muy bien en el ejercicio siguiente.
3. No **dirás** falsos testimonios **ni** mentirás. Por influjo de la Biblia, a la que pertenece este mandamiento, este empleo del futuro se reserva para situaciones solemnes en las que el que manda mantiene una especial relación de paternidad con el mandado.
4. **Quédate** con nosotros un poco más. Por su contenido, este puede ser un buen ejemplo de ese imperativo cortés corriente entre los españoles. En la cultura española suele preferirse la muestra de afecto solidario a la libertad de actuar; así, es correcto pedir de este modo a una persona, por ejemplo, a un invitado, que no se vaya todavía ante su primera muestra de intención de marcharse.

4.4. **1.** ¡**Acercadme** la chaqueta!; **2.** ¡**Abrid** la puerta del garaje!: **3.** ¡**Limpiaos** los zapatos antes de entrar!; **4.** ¡**Apagad** la televisión!
Podrían reducirse todas estas órdenes al sintagma nominal o a la parte de él que contiene la información más relevante. Con su simple presencia, basta en una situación en que esta orden es frecuente. Tendríamos entonces: *¡la chaqueta!, ¡la puerta!, ¡los zapatos!, ¡la televisión!*
Al hacer el ejercicio habrás pensado seguramente en la fórmula A + SINTAGMA NOMINAL, que viste en *¡A casa!* del ejercicio anterior. En estas respuestas no es posible *a* porque no existe un mandato que suponga dirigirse a un lugar, como sí ocurre en *¡A casa!*

4.5. Con el indicativo lo normal es que el hablante esté avisando de la venida de alguien conocido; con el subjuntivo, está dándose una orden. Puede que sea un mandato directo y enérgico dirigido a una persona a la que se trata de ud. Lo más probable, sin embargo, es que se trate de una orden cuyo destinatario final (el que debe venir) no está presente y se formula a alguien con la capacidad de transmitírsela.

4.6. Después de la última reforma de la RAE, solo llevan tilde estas agrupaciones de verbo y pronombre cuando así lo exijan las normas generales de la tilde. Para nuestro caso, solo habrá tilde cuando el resultado de la suma sea una palabra esdrújula o sobresdrújula.
1. Dámelo; **2.** Estate; **3.** Míralo; **4.** Recógeselo.
Llevan pospuestos también los pronombres (técnicamente, *enclíticos*) los infinitivos (*dármelo*), los gerundios (*mirándolo*) y el subjuntivo en función de imperativo (dígame). Las formas del verbo personales, con las excepciones estas de subjuntivo e imperativo, llevan delante los pronombres (técnicamente, *proclíticos*), pero sin formar con ellos una sola palabra (*Se lo dio, La miraba*).

4.7. La regla dice que ante *-os* se pierde la *-d* final del imperativo. Sin embargo, se trata de una regla que solo funciona bien con los verbos en *-ar*. En los verbos acabados en *-er* e *-ir*, luego comentaremos lo que pasa específicamente con *ir*, esta regla es de aplicación problemática y en muchos casos lo normal, en la lengua hablada, es que no se aplique y se recurra al infinitivo. Por ejemplo, *veros* o *veniros* en vez de *veníos* o, más aún, *veos*, bastante infrecuentes aun en la escritura, en la que lo normal es buscar un sustituto si es necesario transmitir este mensaje.

1. Lavaos; **2.** Marchaos; **3.** Salíos: en este caso y en los dos siguientes son admisible estas formas, que, desde luego, tienen carácter culto; **4.** Servíos; **5.** Bebeos; **6.** Ir: En este caso, es imposible **íos* y la norma culta propone *idos* que, además de extraño, tiene el problema de su homonimia con el participio, que como adjetivo significa 'loco, demente' *(Está ido ese chico)*. Tal homonimia se habría agravado con *salir* de aplicársele esta misma regla particular, pues *salidos*, participio de *salir* puede significar en la lengua coloquial 'persona con la libido en plena efervescencia' *(Es un salido)*.

Con *nos* unido al presente de subjuntivo en primera persona del plural, este pierde, como has visto, su *-s* final:
1. Lavémonos; **2.** Marchémonos; **3.** Salgámonos; **4.** Sirvámonos; **5.** Bebámonos (la jarra); **6.** Vayámonos.

4.8. Empezamos con las dos primeras construcciones:

1. Que no pongas la música después de las 10 te he dicho./Te tengo dicho que no pongas la música después de las 10.
2. Que recojas tus cosas te he dicho./Te tengo dicho que recojas las cosas.
3. Que entregues los trabajos a tiempo te digo./Te tengo dicho que entregues los trabajos a tiempo.
4. Que hagas tus ejercicios te digo./Te tengo dicho que hagas tus ejercicios.

Que + PRESENTE DE SUBJUNTIVO puede transmitir un mensaje semejante, por tanto, enérgico a la hora de corregir un conducta poco obediente. Como sucede con las otras dos construcciones, se trata de una manera de mandar directa, sin delicadeza, solo aceptable cuando existe mucha confianza y un dominio sobre el destinatario. Su matiz diferencial estriba en que en esta construcción la impaciencia ante el comportamiento del interlocutor se debe a la desobediencia de este más que de una orden que se le dio hace tiempo, de un mandato más inmediato, más próximo en el tiempo *(que comas, que te calles)*. Son matices, como decimos, en los que la situación es decisiva.

1. Que no pongas la música después de las 10; **2.** Que recojas tus cosas; **3.** Que entregues los trabajos a tiempo; **4.** Que hagas tus ejercicios.

4.9. En el libro aparecen para este fin el infinitivo y el giro *se ruega* + {PRESENTE DE SUBJUNTIVO/INFINITIVO}. En esta última, delante del presente de subjuntivo es habitual la omisión de la conjunción *que*.

1. No lavar los coches en este lugar./Se ruega {(que) no laven/no lavar} los coches en este lugar.
2. No dejar sola ninguna bolsa o mochila de viaje./Se ruega {(que) no dejen/no dejar} ninguna bolsa...
3. No girar a la derecha (en el cruce)./Se ruega a los automovilistas {(que) no giren/no girar} a la derecha en el cruce. Al tratarse en este último mensaje, de una instrucción para automovilistas, previsiblemente en forma de señal de circulación, la primera formulación es la esperable dada su mayor brevedad.

4.10. **1.** ¡Deja eso **de una vez**!; **2.** ¡Trae el libro **y sin rechistar**!; **3.** **¡Se acabó**: termina el ejercicio!; **4.** ¡Hazte la cama, **que me tienes hasta la coronilla**!; **5.** ¡Sal de ahí, **pero ya**!

Estos recursos dan lugar a unos mensajes muy similares a los de 4.8., si acaso aún más expresivos, como corresponde a su entonación exclamativa.

4.11. Se trata ahora, entonces, de suavizar la orden, lo que no garantiza desde luego la cortesía del mensaje, dado que no se elimina el imperativo ni la entonación. El secreto es transformar una orden en la petición de un favor:

1. ¡Calla, **calla**!; **2.** ¡Deja eso, **por favor**!; **3.** ¡Trae el libro, **por fa**! Esta forma reducida de *por favor* se emplea únicamente en la lengua coloquial y es característica de jóvenes y niños. No es raro que recurran estratégicamente a ella los adultos para pedir algo, pues su empleo hace a quien la usa presentarse bajo una imagen algo infantil, por tanto, humilde, lo que siempre favorece la aceptación de la petición; **4.** ¡Termina el ejercicio **que ya es la hora**!; **5.** ¡Hazte la cama **si eres tan amable**!; **6.** ¡Sal de ahí **que no se puede estar**!

4.12. La respuesta se encuentra ya en la pág. 65 del Libro del alumno, de todas formas, te lo recordamos. En los cuatro ejemplos se usa una interrogación para pedir un favor.

1. ¿Tienes un caramelo de menta? → Es una petición indirecta teóricamente (no se pide, solo se pregunta si se tiene un caramelo); en la práctica, es una pregunta tan convencional, que todos la entienden como una petición.
2. ¿Me das un caramelo de menta? → La petición es más directa, aunque como se hace por medio de una pregunta, que siempre deja la libertad de la respuesta negativa, es más cortés que si se hace por medio de una orden *(Dame un caramelo de menta)*.

3. ¿Me dejas un boli? Esta pregunta, como la siguiente, se diferencia de las anteriores porque encierra la promesa de la devolución; por tanto, la petición es más suave. Por eso, es muy frecuente que se utilicen *¿me dejas...?* o *¿me prestas...?* para pedir objetos que por su propia naturaleza no van a devolverse *(¿Me dejas un kleenex?)*.

4. ¿Me prestas un boli? Lo dicho para el caso anterior vale para este; no obstante, en casos en los que la petición es de cierta cantidad de dinero su uso puede implicar no solo la promesa de devolver sino también de pagar algunos intereses.

Como ya decíamos en la clave de 4.3., cuanto menos cuesta dar una orden (por su contenido, por la confianza en el destinatario...), más breve tiende a ser esta. Esto mismo sucede con las peticiones. Por el contrario, cuanto más cuesta ordenar o pedir, más extensa por regla general es su formulación. En ella tienen que tener cabida las justificaciones, las promesas de compensación y otros recursos corteses. Por eso, ante una petición de tal cantidad de dinero sería muy difícil que bastara solo con alguno de los cuatro mensajes que acaban de verse.

4.13. Ante la inocencia de las peticiones, estos rechazos son claramente desproporcionados. Por eso, como no se empleen en situaciones de mucha confianza y a menudo con una intención humorística, están claramente desaconsejados.

Con esta observación general, el más admisible sería *tararí que te vi*, por su carácter informal y festivo, lo que le quita algo de fuerza a la acción. *Jamás de los jamases* implica una negación absoluta, que se comprendería solo como respuesta ante un abuso continuado del peticionario. *En modo alguno* o *de ninguna manera* son, de las cuatro las negaciones, las menos marcadas aunque como las otras dos comunican la negativa cerrada a la negociación. A no ser que circunstancias particulares las justificaran, tampoco son apropiadas ante las peticiones que nos ocupan *en modo alguno* y *de ninguna manera* porque son demasiado formales y serias, lo que produce un doble efecto descortés: son negaciones claras y, además, marcan mucho la distancia.

4.14. *Santa Rita, Rita lo que se da, no se quita* es una fórmula para negar la devolución de algo que se ha entendido que era un regalo. Como procede del lenguaje infantil, puede suavizar una acción de por sí conflictiva. *A otro perro con ese hueso* es también propia de la lengua coloquial, aunque no de la infantil. Encierra el rechazo directo de las palabras del interlocutor, generalmente, de una explicación, justificación o petición. No es nada cortés.

Hermana A: Devuélveme la camiseta.
Hermana B: Me la regalaste. Santa Rita, Rita... (como es muy conocida, es normal que no se diga entera).
Amigo A: Perdona, que haya llegado tarde, es que se ha averiado el tren.
Amigo B: A otro perro con ese hueso.

4.15. **1.** No pienso saludar **lo/la**, después de la faena que **les** ha hecho; **2. Le** robaron el móvil a aquel turista cuando **le** estaban indicando una dirección; **3.** No es tan fiero el león como **lo** pintan; **4.** No **lo** hagas, te arrepentirás luego de no haber**lo** pensado mejor.

4.16. **1. Los** has hecho muy felices; **2.** No **la** dejes sola; **3. Le** contó todo lo ocurrido; **4. Lo** rompió sin querer.

4.17. **1.** *No la gustó que la dijeras eso. → No **le** gustó que **le** dijeras eso; **2.** La vio y la llamó "María". Estamos ante un empleo correcto de los pronombres, con *llamar* el uso fluctúa entre el pronombre objeto directo o indirecto, sin que exista una solución preferida por la norma culta; **3.** La quemó su peluquería. → Este enunciado es ambiguo. Imaginemos que hablamos de alguien a quien ha terminado agotando su negocio de peluquería, aquí *su peluquería* sería el sujeto y *la*, un correcto complemento directo femenino. Sin embargo, podemos estar hablando de alguien (objeto indirecto) a quien otro quemó su peluquería (objeto directo). En ese caso, el ejemplo sería incorrecto y debería decirse: ***Le** quemó su peluquería*; **4.** *Los bomberos les desalojaron del edificio. → Los bomberos **los** desalojaron del edificio; **5.** *No le creo, aunque me lo jure. → No **lo** creo, aunque me lo jure. El asterisco y la corrección obedecen a que la norma dice que el objeto directo masculino, aunque sea de persona, es **lo**. No obstante, esta respuesta deberás completarla con lo que se diga con motivo de 4.19., donde se mencionará una tendencia muy fuerte en las zonas leístas del español a diferenciar los objetos directos masculinos de persona *(No le creo)* de los de cosa *(No lo creo)*.

4.18. **1.** Se **le** mata en noviembre en estas tierras; **2.** Se **la** miraba con desconfianza; **3.** No se **le** siente acercarse; **4.** Se **la** pondrá a las casillas de la izquierda.

4.19. Efectivamente, el leísmo no es un fenómeno sencillo, por razones que tienen que ver con la historia de la lengua española y con su gran extensión geográfica. Por eso, aunque la norma general es clara, existen numerosos casos que la matizan y que dependen mucho de la región del español donde se den. Por eso, lo que aquí digamos puede no ser válido para todos los hispanohablantes. Hecha esta importante aclaración examinamos ya los ejemplos del ejercicio:

1. Se le vio. → En la interpretación más normal, se trata de un enunciado impersonal como los de 4.18., en el que *le* representa un objeto directo admisible en esta construcción. Este no ha de referirse necesariamente a una persona, pero sí a un ser con movilidad, por ejemplo, un animal. Se lo vio. → Este enunciado es ambiguo. En la interpretación más normal, el sujeto vio algo *(lo)* –por ejemplo, un bulto– perteneciente a alguien *(se)*. Ya sabes que *le* se convierte en *se*, cuando se combina con *lo/la* (o sus plurales). Al lado de esta interpretación, cabe otra en la que el sujeto y *se* coinciden (es una construcción reflexiva) y *lo* mantiene la misma referencia que en el enunciado anterior.
2. No lo veo. → Este enunciado puede ser sinónimo del siguiente. Pero en la interpretación normal, hay que pensar en algo ya aparecido con motivo del último enunciado de 4.17., que *lo* se refiera a un objeto directo no personal; y *le*, de *No le veo*, represente un objeto directo de persona, lo que algunos ven como una forma de respeto y otros, un medio de evitar la cosificación.
3. No lo escucho. → Para esta pareja de enunciados es válida la explicación que acaba de darse para *No lo veo./No le veo.*
4. Lo pegó. → Aquí *le/lo* mantiene su relación con la oposición persona/cosa, pero lo hace de un modo distinto. Frente a *ver* y *escuchar*, *pegar* no mantiene el mismo significado en los dos casos. *Lo pegó* significa adhirió algo –por, ejemplo, un sello– con pegamento. *Lo* es aquí un claro objeto directo, que por la lógica de las cosas es no personal. En cambio, *Le pegó* significa que alguien le dio un golpe a la persona representada por *le*, que funciona como objeto indirecto.

4.20. Todos estos ejemplos se han puesto para que compruebes lo que decía el enunciado del ejercicio: la anteposición de cualquiera de los dos objetos exige la presencia también del pronombre átono correspondiente: **1.** A esos seis terroristas **los** han detenido; **2.** A Nicole Kidman **la** vi el otro día en una película de intriga; **3.** Al técnico del ordenador **lo** llamé; **4.** A Noelia **le** dieron el visado; **5.** A mi compañero de piso **lo** pararon en un control de alcoholemia.

4.21. **a.** La señora se lamenta del carácter mecánico, insincero de los elogios de su marido, que le impide sentirse de verdad valorada. Efectivamente, la actuación del marido muestra que en ocasiones la cortesía no es suficiente para el éxito de la comunicación. La cortesía constituye un conjunto de normas universales y culturales de carácter objetivo, cuya base es la imagen social bajo las que todos nos presentamos. Sin embargo, cuando la comunicación desciende a las relaciones verdaderamente personales, donde la imagen se difumina y aparece cada uno tal cual es, se requieren una mayor atención a nuestro interlocutor (lo que algunos ahora llaman *tacto*) y una mayor autenticidad. En todas las culturas, en algunas muy significativamente, ciertas normas de cortesía se suspenden entre los íntimos; recurrir a ellas entonces es señal de distancia y reserva. Ese es el fondo de la queja de la esposa: su marido no se comunica con ella de un modo verdaderamente personal.

b. El empleo por parte de la señora de *verá* y *suponga* dirigidas al psicoterapeuta no son incorrectas. Además de que mantienen el tratamiento de *usted*, son dos formas muy convencionales, que de ninguna manera se toman como órdenes propiamente. La primera es una forma normal de iniciar una respuesta indicando que va a hacerse esta de un modo relevante (como *a ver*); la segunda es también corriente para introducir ya algún componente más nuclear de esa respuesta, en este caso un caso ejemplar.

Así pues, no hay descortesía en el empleo de *verá* y *suponga*. Otra cosa sucede con la interrupción a las palabras del psicoterapeuta por parte de la esposa, quien no le deja terminar su última intervención. Los españoles, sobre todo los varones, tenemos fama de interrumpir mucho y de no dejar hablar a los demás; y es que en nuestra cultura las interrupciones no se valoran por lo general demasiado negativamente, lo que no ocurre en otras. La conversación que está analizándose es entre norteamericanos, donde las interrupciones son peor aceptadas, ese sería un dato para criticar la conducta de la señora; de todos modos, la situación, de fuerte carga emotiva y en la que el objetivo es la solución de un problema práctico, rebaja bastante la descortesía que pudiera entrañar la interrupción. Quizá esta interrupción no sea un hecho ocasional sino reflejo de un comportamiento más habitual; antes, sus palabras se habían solapado con las de su marido.

c. No hay ningún caso. Todos los empleos de *le* y *la* son normativos.

d. *Quiero decir* es lo que se conoce como un *reformulador explicativo*, que para entendernos es una clase de conector discursivo. Como *esto es, o sea, en otras palabras...*, sirve para intentar dejar más clara una idea expresándola de nuevo mejor. Entre lo dicho antes y esta nueva expresión más satisfactoria hay una equivalencia.

Así es es una oración impersonal. No es estrictamente un conector discursivo, aunque va entre pausas, puede suprimirse sin que se resienta la gramaticalidad del enunciado y, sobre todo, establece una relación consecutiva, junto a *de modo que*, entre las dos informaciones que une *(siempre me hace elogios, pierdo el valor del elogio)*. Con respecto a su relación con *de modo que*, este mira sobre todo a la consecuencia; *así es* apunta gracias al significado anafórico de *así*, a la información precedente. *Así es, de modo que* podría simplificarse con *así es que, así que* o *así: Siempre me hace elogios, {así es que/así que/así} pierdo el valor del elogio.*

Unidad 5: La magia

Oraciones temporales y modales

5.1. **Los gramáticos distinguen entre tiempos *absolutos* (presente, indefinido y futuro imperfecto) y *relativos* (pretéritos imperfecto, perfecto, pluscuamperfecto y anterior; futuro imperfecto y los dos condicionales). Estos segundos necesitan a los primeros (u otras informaciones temporales equivalentes) para funcionar satisfactoriamente. Busca, entonces, el tiempo relativo del verbo que aparece en infinitivo de acuerdo con la instrucción requerida entre corchetes. Podrá ayudarte la pág. 79 del Libro del alumno.**

1. Sostuvo que [suceso posterior a este pasado] (terminar) .... el trabajo a tiempo.
2. Hoy [suceso anterior, pero dentro del espacio temporal presente] me (traer) .... el ordenador arreglado.
3. En cuanto lo [suceso inmediatamente anterior, dentro del pasado] (ver) ...., lo llamó.
4. (Tomar) .... [suceso simultáneo a otro pasado] un café cuando vio por la calle a Esther.
5. No pudo volar: (olvidar) .... [suceso anterior a otro pasado] su pasaporte en el hotel.

5.2. **Conjuga los infinitivos de los siguientes ejemplos que empiezan con complementos muy característicos en español:**

1. Hacía dos años que (trabajar) .... en esta empresa y no (aclimatarse) .... aún.
2. Hace dos meses que (trasladarse) .... a este apartamento.
3. Desde hace tiempo (encontrarse) .... estupendamente.
4. Desde hacía unos meses no (parar) .... de trabajar.
5. (Presentármela) .... hace tres fines de semana.
6. (Defender) .... su tesis hacía dos días.

5.3. ***Antes* y *después* son dos conectores temporales que establecen una precedencia entre dos acontecimientos (uno anterior y otro posterior). Van seguidos por {*de/de que/que*} y una oración, una palabra o un sintagma. La presencia de estos dos últimos se explica porque el resto de la oración subordinada se omite, dado su carácter obvio. Por ejemplo:**

- *Ernesto se enteró de la noticia antes que Carolina.* → *Ernesto se enteró de la noticia antes de que Carolina se enterara.*

De acuerdo con este modelo, establece cuál es la oración subordinada completa correspondiente a estos enunciados y después, di cuándo se emplean *antes* o *después* {*de/que*} y cuándo *antes* o *después* {*de que*}.

1. Saldré de viaje antes que tú. → ....
2. Javier siempre llegaba a clase después que Alberto. → ....
3. Las mujeres consiguieron el derecho al voto después que los hombres. → ....
4. Leticia ha encontrado trabajo antes que su hermano. → ....
5. Dijeron que Julio Iglesias cantaría antes que Luis Miguel. → ....

No queremos, para terminar este ejercicio, que te quede la impresión de que *antes* o *después de que* solo introducen oraciones subordinadas obvias, condenadas a reducirse. Pueden introducir oraciones subordinadas con informaciones nuevas, que no se construyen a partir de la principal *(Llegó después de que su hijo naciera)*. Pon un ejemplo con cada conector.

5.4. **Observa las siguientes oraciones y dinos si se expresa simultaneidad o sucesión.**

1. Cuando aprobé mi examen de español, organicé una fiesta.
   ☐ simultaneidad ☒ sucesión
2. Al entrar en el cine me encontré con mi hermana.
   ☐ simultaneidad ☐ sucesión
3. Eva leyó el periódico mientras Raúl escribió unos correos.
   ☐ simultaneidad ☐ sucesión
4. Andrés y M.ª Sol vendrán a visitarnos cuando vuelvan de Francia.
   ☐ simultaneidad ☐ sucesión
5. Sara no puede escuchar música mientras estudia, pero yo sí.
   ☐ simultaneidad ☐ sucesión
6. Le dio una descarga eléctrica al enchufar el secador.
   ☐ simultaneidad ☐ sucesión
7. ¿Por qué no me haces un café mientras te reparo el ordenador?
   ☐ simultaneidad ☐ sucesión
8. Ven a mi casa cuando hayas terminado de ver la película.
   ☐ simultaneidad ☐ sucesión
9. Siempre se emocionaba cuando leía algún poema de Cernuda.
   ☐ simultaneidad ☐ sucesión

5.5. **Sustituye *cuando* por *mientras* o *al* + INFINITIVO según convenga.**

1. Su madre escucha a Los Beatles *cuando* se ducha.
2. Iñaqui se volvió insoportable *cuando* empezó a salir con sus nuevos amigos.
3. *Cuando* es verano en España, es invierno en Sudáfrica.
4. Por favor, cierre la puerta *cuando* salga.

5.6. **Lee el siguiente texto y escribe un breve resumen en 4 ó 5 líneas.**

Me encontraba en el Zaire cuando me enteré del asesinato de la zoóloga norteamericana Dian Fossey en 1986. Había dedicado toda su vida a preservar a los gorilas de montaña hasta que los cazadores furtivos, que jamás se lo perdonaron, decidieron acabar con ella. La noticia me estremeció porque entre mis planes estaba realizar un reportaje sobre su trabajo y entrevistarla en el Centro de Investigación de Karisoke, a más de tres mil metros de altitud, en las brumosas montañas de los volcanes Virunga de Ruanda. No pudo ser, nunca llegué a conocerla, aunque yo estaba interesada en estos primates desde hacía muchos años, concretamente desde que leí su libro *Gorilas en la niebla*. Si meses después pude hacer mi reportaje en los volcanes Virunga, si conseguí como cualquier turista acercarme a ellos sin asustarlos y fotografiarlos, fue gracias a las pautas que marcó Dian tras largos años de estudio.

Dian Fossey, una intrépida californiana, llegó a las montañas de Virunga en 1967. Desde ese año emprendió una ardua lucha contra la soledad, el clima hostil, la deforestación y los cazadores furtivos. Cuando se instaló a vivir aquí, en medio de la selva húmeda, partía absolutamente de cero. Tenía treinta y cinco años, apenas chapurreaba unas palabras de swahili para entenderse con los porteadores, tuvo que organizar el campamento, seleccionar personal y continuar con sus estudios. Y rastrear incansable la selva en busca de gorilas que huían ante su presencia: "Al principio tenía que esperar hasta media hora haciendo ver que comía hojas hasta que les vencía la curiosidad y subían a los árboles circundantes. Una vez satisfechas sus ansias de fisgonear, se olvidaban de mi presencia y reanudaban sus actividades normales, que eran el objetivo de mi estudio".

En los siguientes años enseñó a los nativos a seguir las pistas de los gorilas y a aproximarse a ellos sin asustarlos. Dian continuó viviendo con ellos hasta que la aceptaron como un miembro más de la comunidad, lo que le permitió demostrar el falso mito de su fiereza. Y sobre todo, siguió luchando contra los cazadores, desarmaba sus trampas, rescataba a sus presas y atendía a las crías huérfanas. Por entonces se sentía agotada pero inmensamente feliz.

Dos largos años observando, intercambiando con ellos miradas cómplices hasta que por fin un gorila macho, llamado Peanuts, se atrevió a tocar su mano. "Extendí poco a poco la mano, la palma hacia arriba, y la dejé sobre las hojas. Después de mirarla con detenimiento, Peanuts se levantó y extendió su mano para rozar mis dedos con los suyos por un instante. Fue uno de los momentos más memorables de mi vida entre los gorilas", escribió en su libro.

Pero la felicidad pronto se vería empañada con nuevos asesinatos de gorilas en la selva. Cada muerte era un duro golpe para Dian, que los enterraba en silencio en un improvisado cementerio con la fecha, sus nombres y edad. Era su forma de denunciar la trágica situación que se vivía en la reserva. Algunos comenzaron a tacharla de "loca y excéntrica", de tratar a los gorilas como a seres humanos.

En sus últimos años Dian estaba enferma y se mostraba hostil ante la visita de los turistas e investigadores. Fue asesinada una noche cuando llevaba dieciocho años trabajando incansablemente en la región de los volcanes. El legado de su obra, su pasión por los gorilas, pervivió desde entonces hasta más allá de su muerte. Hoy su espíritu sigue vivo en una mujer africana, la veterinaria ruandesa Gladys Kalema que ha seguido sus pasos. En la impenetrable selva de Bwindi en Uganda, esta joven dinámica de veintiséis años sabe que solo quedan en el mundo 650 gorilas de alta montaña. Y como Dian, se ha propuesto cuidarlos, seguir investigando y denunciar las matanzas. Aunque como ella, se juegue la vida.

Texto adaptado de Cristina Morató, *Viajeras intrépidas y aventureras.*

5.7. **Vamos, ahora, con unas pequeñas cuestiones de léxico:**

a. **Dian era zoóloga y Gladis, veterinaria. ¿Qué diferencia existe entre ambos estudios? ¿Conoces otra pareja de profesiones cuya diferencia sea semejante, solo que referida a las personas?**

b. **En el penúltimo párrafo aparece el verbo *tachar*. ¿Sabes el sentido que aquí presenta? ¿Conoces algún otro? Se trata, como bien habrás visto, de una palabra polisémica. A ver si encuentras algún otro ejemplo de polisemia en el relato.**

c. **Une los adjetivos de la derecha con sus antónimos de la izquierda:**

1. Hostil •	• a. Despejado
2. Memorable •	• b. Amistoso
3. Brumoso •	• c. Fácil
4. Arduo •	• d. Insignificante
5. Dinámico •	• e. Cobarde
6. Intrépido •	• f. Pasivo

5.8. ***Desde* y *hasta* introducen complementos que indican, respectivamente, el comienzo y el final de un suceso o situación. Pueden construirse con sintagmas nominales y adverbiales (*Desde aquel momento se resolvieron todos los problemas; Todos los problemas duraron hasta ayer*), o con una oración subordinada (*Desde que tú me viste por primera vez, he cambiado mucho; Salí con ella hasta que me cansé*). También son posibles, como ya viste en 5.2., seguidos de *hace* + COMPLEMENTO TEMPORAL (*Desde hace dos meses estudio alemán; Hasta hace un mes he estado viviendo en Croacia*). Busca los ejemplos de estas construcciones que aparecen en el texto y clasifícalas.**

5.9. **Al copiar algunos fragmentos del libro del que se tomó el texto anterior, *Viajeras intrépidas y aventureras*, hemos olvidado los marcadores delimitativos *desde* y *hasta*. ¿Podrías ponerlos tú?**

1. Samuel y Florence Baker fueron huéspedes del rey Kamrasi .... que se recuperaron de los fuertes ataques de malaria y pudieron continuar su viaje.

2. Anne Bomney y Mary Read, las dos mujeres piratas más famosas de la historia, ocultaron su verdadera identidad sexual .... ser detenidas en 1720, momento en el que se descubrió que eran mujeres.

3. Inés Suárez, la primera española que llegó al Nuevo Mundo, en el siglo XVI recorrió más de diez mil kilómetros, en busca de su marido, ... que salió de España .... que llegó a Perú. Cuando llegó, descubrió que su marido había muerto y se alistó en la compañía de Pedro de Valdivia para comenzar la conquista de Chile.
4. Anita Delgado, nacida en Málaga en 1890, se casó con el maharajá de Kapurthala y le acompañó en todos sus viajes como asesora. .... el principio se negó a formar parte del harén de su marido.
5. Anna Leonowens trabajó en Bangkok .... el año 1862 .... el 1867 como institutriz de los 67 hijos, y esposas y concubinas, del rey de Siam. Siempre tuvo el valor de decir lo que pensaba y se convirtió en la secretaria y traductora del rey.
6. La austriaca Ida Pfeiffer, en el siglo XIX, a sus 45 años decidió recorrer remotas y peligrosas regiones porque eso era lo que había soñado .... hacía muchos años. Dio en solitario la vuelta al mundo en dos ocasiones, recorriendo lugares que ningún europeo se había atrevido a visitar .... entonces.
7. Hester Stanhope, aristócrata y huérfana de madre .... los cuatro años, vivió con una larga lista de familiares .... que murió su último tutor en 1806. Entonces decidió viajar por el mundo .... instalarse en el árido desierto del Líbano, donde vivió más de 60 años.

5.10. **Pensando en que se refieren a ti, decídete por una de las dos opciones de cada enunciado:**

Tendrá *cuando* {*más/menos*} treinta años.
Será *cuando* {*más/menos*} el mejor del grupo.

5.11. **Los adverbios en *-mente* son el resultado de la combinación de un adjetivo femenino + el sustantivo *mente*. Así, *rápidamente (rápida + mente)*. Si el adjetivo lleva tilde, el adverbio en *-mente* la conserva. Si el adjetivo no la lleva, el adverbio tampoco. Coloca la tilde en los casos en que se requiera. Podemos aprovechar para recordar la definición de los adverbios de la serie:**

1. Magistralmente.
2. Duramente.
3. Personalmente.
4. Agilmente.
5. Veladamente.
6. Seguramente.
7. Francamente.
8. Mayormente.
9. Justamente.
10. Cordialmente.
11. Comunmente.
12. Realmente.
13. Socarronamente.
14. Solamente.

5.12. **Después de haber definido los adverbios en *-mente* del ejercicio anterior, habrás comprobado que su significado se ajusta al esquema de FORMA + ADJETIVO. Así, *rápidamente* equivale a 'de forma rápida'. Sin embargo, en algún caso esto no es estrictamente así, ¿te has dado cuenta?**

Por otro lado, en el ejercicio anterior aparece *francamente*. Este adverbio se utiliza a menudo para iniciar una respuesta donde va a emitirse una opinión algo comprometida. En su lugar, puede aparecer también *sinceramente*. O, más raramente, algunas locuciones como *a decir verdad, para ser sinceros* o *hablando en plata*. Construye ejemplos con cada una de estas expresiones. Lo harás mejor si antes reflexionas sobre sus posibles diferencias.

5.13. **Un último ejercicio con los adverbios en *-mente*. Se forman a partir de un adjetivo femenino. Lo que ocurre es que no todos los adjetivos admiten tal formación. Vamos a darte una serie de adjetivos para que construyas, cuando sea posible, el adverbio correspondiente:**

1. Bajo ....
2. Primero ....
3. Segundo ....
4. Nacional ....
5. Viejo ....
6. Real ....
7. Tranquilo ....
8. Quieto ....
9. Japonés ....

5.14. **En la lengua coloquial existen diversos adverbios que sirven para atenuar, al menos en apariencia, un mensaje descortés:**

Es como muy tonto. | *Es algo feo.* | *Es un poco estúpido.*

Construye tus tres ejemplos similares con *como, algo* y *un poco.*

1. ....
2. ....
3. ....

Algo semejante es la función de *igual* y *casi* para atenuar mensajes en la forma, aunque no en el fondo, pues encierran informaciones que se entienden poco agradables para el que escucha. Se trata de construcciones coloquiales:

Igual nos vamos. | *Casi que nos vamos.* | *Como que dejamos el trabajo.*

Lo que tienes que hacer ahora es escribir de nuevo tres ejemplos propios.

1. ....
2. ....
3. ....

5.15. **Sustituye el conector *como* por algún otro que exprese modo, de acuerdo con la serie aparecida en la pág. 87 del Libro del alumno y sin que se repita ninguno:**

1. El niño jugó en el parque, *como* sus padres querían.
2. *Como* en todas las cosas, hay que buscar el equilibrio.
3. El Madrid jugó *como* siempre.
4. Se hizo *como* se acordó.
5. Lo devolvió *como* se lo habían entregado.
6. *Como* se rumorea por ahí, va a haber cambios en la dirección.
7. Su vida va *como* un barco a la deriva.

5.16. **A veces la equivalencia de *como* no es con un conector de modo, sino con otro distinto. Vuelve a sustituir *como* por algún conector equivalente que no sea modal:**

1. Ha ingresado *como* alumno de la universidad de La Rioja.
2. *Como* llegues otra vez tarde, no volvemos a quedar.
3. *Como* relaciones públicas, Noelia no tiene precio.
4. Mira *como* Amaya se ha ido al final a Alemania.
5. *Como* no le hiciste caso, se marchó.
6. Asistieron *como* veinte personas a la conferencia.
7. Se ha revelado *como* una auténtica figura del piano.

5.17. ***Cómo* forma parte de construcciones interrogativas cuyo significado debe conocerse, pues no es fácilmente deducible. Aquí tienes unos ejemplos que deberás comentar:**

1. ¿*Cómo* va a hablar, si es sordomudo?
2. ¿*Cómo* va a hacer algo ese?
3. ¿*Cómo* que no?
4. ¿*Cómo* (me) dices eso?
5. ¿A *cómo* están los tomates?

Ya que estamos con unas interrogaciones bastante específicas, fíjate en estas otras en las que aparecen otros conectores igualmente característicos. Tendrás que comentarlos también:

1. ¿*Conque*, enfermo, eh?
2. ¿*A que* no eres capaz?
3. ¿*A que* se lo diste sin la factura?

Una vez aclarados estos usos, cubre los siguientes huecos con *cómo, conque* y *a que*. En alguna ocasión son posibles más de uno, lo que no impide que sus contenidos sigan siendo distintos. Todo esto lo señalarás al justificar tus respuestas:

1. ¿ ....no se lo dijiste?
2. ¿ ....tenías mucho trabajo?
3. ¿................................le dices eso?
4. ¿ ....estabas soltero?

5.18. ***Como* se agrupa a menudo con otros conectores. Analiza las siguientes combinaciones de *como*:**

1. Llegó *tan pronto como* los demás.
2. *Tan pronto como* la llamaron, se presentó.
3. *Tan pronto* habla, *como* se encierra en el mayor de los mutismos.
4. Hizo *tanto como* los demás.
5. Votaron a favor *tanto* unos *como* otros.

Claves

Unidad 5: La magia

5.1.
1. Sostuvo que **terminaría** el trabajo a tiempo.
2. Hoy me **han traído** el ordenador arreglado.
3. En cuanto lo **hubo visto**, lo llamó.
4. **Tomaba** un café cuando vio por la calle a Esther.
5. No pudo volar: **había olvidado** su pasaporte en el hotel.

5.2. Son bastante particulares las construcciones temporales con el verbo *hacer*. Estas se ajustan a dos grandes tipos:

a. En el primero *(Trabajo aquí hace dos años), hace* encabeza un complemento temporal que localiza temporalmente un suceso o situación indicando su carácter anterior respecto al momento de hablar o a otro acontecimiento. Aunque no puede llevar ninguna conjunción delante, admite la preposición *desde* o *hasta*.

b. En el segundo *(Hará un mes que Sonsoles {se casó / ha casado}), hace* actúa como verbo equivalente a *se cumple*, con una oración subordinada de la que se informa que ha pasado un determinado tiempo. En ocasiones, puede reemplazarse la oración subordinada por un sintagma preposicional *(Hace un mes de la boda de Sonsoles)*.

Con esta idea general, analizamos ya los casos particulares:

1. Hacía dos años que **trabajaba** en esta empresa y no **se había aclimatado** aún. La situación, dentro del pasado en que se localiza el relato, lleva dos años (sin mención de su final). El pluscuamperfecto que viene seguidamente se explica porque representa un acontecimiento anterior a otro que aparecerá después.
2. Hace dos meses que **se trasladó** a este apartamento. Se cumple este tiempo de un suceso ya concluido, de ahí el indefinido, respecto al momento de hablar.
3. Desde hace tiempo **se encuentra** estupendamente. Tomando este tiempo genérico de referencia se habla de una situación que se prolonga en el presente. Fíjate en que, por esto último, no sería posible un indefinido que exige siempre la mención del final. Tal imposibilidad se da en todos los casos de *desde*.
4. Desde hacía unos meses no **paraba** de trabajar. Dentro del pasado, se refiere una situación empezada meses atrás y cuyo final no se menciona (solo interesa el inicio).
5. **Me la presentaron** hace tres fines de semana. El complemento de *hace* sirve para precisar la anterioridad del suceso en indefinido.
6. **Había defendido** su tesis hacía dos días. Lo mismo podría decirse de este último caso, con la diferencia de que aquí *hace* va en imperfecto. La explicación es que el hablante no sitúa su narración en el presente como en el ejemplo anterior, sino en el pasado.

5.3.
1. Saldré de viaje antes que tú. → Saldré de viaje *antes de que* tú **salgas de viaje**.
2. Javier siempre llegaba a clase después que Alberto. → Javier siempre llegaba a clase *después de que* Alberto **llegara a clase**.
3. Las mujeres consiguieron el derecho al voto después que los hombres. → Las mujeres consiguieron el derecho al voto *después de que* los hombres lo **consiguieran**.
4. Leticia ha encontrado trabajo antes que su hermano. → Leticia ha encontrado trabajo *antes de que* su hermano **lo encontrara**.

5. Dijeron que Julio Iglesias cantaría antes que Luis Miguel. → Dijeron que Julio Iglesias cantaría *antes de que* Luis Miguel **cantara**.

Si eres observador, estas correspondencias y el propio significado de estas construcciones recuerdan lo que sucede con las oraciones comparativas:

- Saldré de viaje *más pronto que* tú (salgas de viaje).
- Javier siempre llegaba a clase *más tarde que* Alberto (llegara a clase).

Aparecen *antes* o *después de que* delante de oraciones subordinadas completas. Por ejemplo:

- Saldré de viaje *antes de que* ella vuelva del suyo.
- Javier siempre llegaba a clase *después de que* hubiera entrado el profesor.

5.4. Vuelve a la pág. 80 del Libro del alumno y lee con especial atención la nota que en ella aparece. En 2, hay una sucesión tan inmediata que puede hablarse casi de simultaneidad. 3 presenta simultaneidad completa gracias a *mientras*. 4 muestra una clara sucesión (1.º volverán de Francia, 2.º vendrán a visitarnos). En 5 se habla de una simultaneidad incompatible (en el caso de Sara), y compatible (en mi caso). Con 6 volvemos a la sucesión inmediata, casi simultaneidad, que induce de modo automático a percibir una relación de causa-efecto. Seguimos en 7 con una relación de simultaneidad. En 8 hay una clara sucesión: "terminas de ver la película y luego vienes a mi casa" (pensemos que este mensaje se produce en una conversación telefónica). En 9 hay simultaneidad, pero no tan absoluta como cuando aparece *mientras*.

5.5. Seguimos con la simultaneidad y la sucesión entre dos acontecimientos muy próximos. Que se dé una u otra, decidirá la sustitución más exacta:

1. Su madre escucha a los Beatles **mientras** se ducha.
2. Iñaqui se volvió insoportable **al empezar a salir** con sus nuevos amigos. Podría haberse utilizado mejor como conector *en cuanto*, que indica que el suceso principal es inmediatamente posterior al de la subordinada *(Iñaqui se volvió insoportable en cuanto empezó a salir con sus nuevos amigos)*.
3. **Mientras** es verano en España, es invierno en Sudáfrica.
4. Por favor, cierre la puerta **al salir.**

5.6. A partir de la noticia del asesinato de la zoóloga Dian Fossey, se rememora su sacrificada vida entregada al conocimiento de los gorilas de montaña y su defensa. Se concluye esperanzadamente con la noticia de que una joven investigadora ruandesa continúa la labor de Dian.

5.7. **a.** Zoólogos y veterinarios se ocupan de los animales. La diferencia está en que los primeros se preparan para estudiarlos con distintos objetivos, aunque el básico es su conocimiento en sí mismo; en cambio, los veterinarios los estudian para la aplicación específica de curar sus enfermedades. En el mundo de los hombres, está diferencia se establece entre los biólogos especialistas en el ser humano (y en otra medida, los antropólogos) y los médicos. También en el mundo de las plantas existe un poco esta distinción: por un lado, están los botánicos, que se dedican a su estudio sin, inicialmente, más fin; y por otro, jardineros, agricultores, horticultores que se encargan del fin práctico de su cuidado.

b. *Tachar* tiene el significado genérico de 'censurar, poner falta a algo o a alguien'. *Tachar de*, que aparece en el texto, tiene el sentido de 'acusar de'. Es un uso más bien culto. *Tachar la respuesta falsa* es 'escribir una raya, anulándola, sobre la respuesta equivocada'. También puede significar 'corregir', de ahí el nombre *tachadura*, que supone una corrección producida por la anulación de un error.
Otro ejemplo de polisemia es *gorila*. Propiamente, es, como en el texto, el nombre de este simio; pero, coloquialmente, puede designar a un guardaespaldas privado, generalmente caracterizado por su corpulencia. También *reserva* es un nombre polisémico. Tiene varios sentidos a partir del significado genérico de 'algo que se guarda para un momento futuro'. En el texto significa 'territorio donde encuentran protección determinados animales (aquí, los gorilas), plantas o grupos étnicos en situación de peligro'. Cuando el vehículo de uno avisa que está en reserva, indica que el depósito del combustible se halla casi vacío, solo está cubierta una parte mínima. Finalmente, se dice *Actúa siempre con mucha reserva*, esto es, con mucha precaución y poca franqueza.

c. **1.** b; **2.** d; **3.** a; **4.** c; **5.** f; **6.** e.

5.8. Estos son los ejemplos que aparecen en el texto:

- Ejemplos de {*desde/hasta*} + SINTAGMA NOMINAL O ADVERBIAL:
  "*Desde ese año* emprendió una ardua lucha contra la soledad".
  "El legado de su obra, su pasión por los gorilas, pervivió *desde entonces*".
- Ejemplo de {*desde/hasta*} *que* + ORACIÓN:
  "Dian continuó viviendo con ellos *hasta que la aceptaron* como un miembro más de la comunidad".
- Ejemplo de {*desde/hasta*} + *hace* + COMPLEMENTO TEMPORAL:
  "Yo estaba interesada por estos primates *desde hacía muchos años*".

5.9. **1.** hasta; **2.** hasta; **3.** desde/hasta; **4.** Desde; **5.** desde/hasta; **6.** desde/hasta; **7.** desde/hasta/hasta.

5.10. *Cuando más* significa 'a lo sumo, como mucho, tirando a lo alto'; *cuando menos*, 'como poco, tirando a lo bajo'. Por eso, como lo habitual es que a la gente le guste parecer joven y destacar en el grupo en el que está, las respuestas preferidas serán:

- Tendrá *cuando más* treinta años (= esa es la edad máxima que le calculo).
- Será *cuando menos* el mejor del grupo (= hasta es posible, que tenga aún más categoría y ser el mejor del grupo se le quede pequeño).

No confundas *cuando más* con *cuanto más*, que es un conector con el que se contrapone a lo ya dicho lo que va a decirse señalando que a este último es aún más aplicable lo afirmado en el primero (*No tienes dinero para la comida cuanto más para irte de vacaciones*).

5.11. Sobre la lista de los adverbios, colocaremos las tildes necesarias (dos solo) y definiremos:

1. Magistralmente: 'De forma magistral (= la propia de un maestro, de alguien con mucha sabiduría)'.
2. Duramente: 'De forma dura'.
3. Personalmente: 'De forma personal', 'en persona'.
4. **Ágilmente**: 'De forma ágil'.
5. Veladamente: 'De forma oculta, velada'.
6. Seguramente: 'De forma segura', 'bastante probablemente'.
7. Francamente: 'De forma franca, con franqueza'.
8. Mayormente: 'Principalmente' (su uso es algo arcaico y vulgar).
9. Justamente: 'De forma justa', 'precisamente'.
10. Cordialmente: 'De forma cordial'.
11. **Comúnmente**: 'Frecuentemente'.
12. Realmente: 'Verdaderamente, ciertamente, en realidad'.
13. Socarronamente: 'De forma socarrona'.
14. Solamente: 'Únicamente'.

5.12. Este repaso superficial por las definiciones impide profundizar en el complicado asunto del significado de los adverbios en *-mente*, pero ayuda a percibir que no siempre se da la equivalencia con el esquema de FORMA + ADJETIVO. Esto tiene bastante que ver con que el adverbio actúe como complemento de modo de un verbo (*Lo hizo magistralmente*) o cumpla otra función relacionada con las circunstancias de la comunicación (*– ¿Ha venido Noelia? – Justamente*).

Lo que acaba de afirmarse se observa bastante bien con *personalmente, seguramente, francamente, mayormente, justamente, comúnmente, realmente* y *solamente*, algunos de los cuales funcionan también como complemento de modo y admiten la equivalencia. Quizá el ejemplo más característico lo represente *seguramente*, que no expresa total seguridad en una afirmación, solo una gran probabilidad. Lo que sí transmite dicha seguridad es *seguro que* (*Seguramente, Esther llega a las 11.* → 'espero que así ocurra, pero no estoy completamente seguro'; *Seguro que Esther...* → 'lo creo firmemente y así te lo indico para que se extraigan las conclusiones pertinentes').

Francamente y *sinceramente* cumplen la función de la que se habla en el enunciado del ejercicio, aunque existe a veces una ligera diferencia. *Francamente* comunica que va a hablarse o responderse con sinceridad, aunque las palabras de uno puedan molestar o herir. En *sinceramente*, esto mismo ocurre, pero al hablante le cuesta más trabajo el hacerlo, precisamente porque puede hacer daño. Además, en *francamente* la intervención puede ser espontánea; en *sinceramente*, un poco en contra de su voluntad; el hablante da su opinión solo porque ha sido requerida. *A decir verdad* o *para ser sinceros* se relacionan con *sinceramente; hablando en plata* con *francamente*. *Hablando en plata* se emplea para manifestar que se ha hablado o va a hablarse de manera directa, sin tapujos.

– *Francamente, no me han gustado tus palabras.*
– *Sinceramente, deberías haber medido más lo que has dicho.*
– *A decir verdad, no has estado muy afortunado con esas palabras.*
– *Para ser sinceros, podrías haber pensado más lo que ibas a decir.*
– *Hablando en plata, has metido la pata.*

5.13. El progreso en el aprendizaje de una lengua extranjera se mide entre otras cosas por la capacidad de improvisación, de tal manera que ya no todo lo que se dice es porque se ha oído o leído. Los adverbios en *-mente* pueden proporcionar la satisfacción de crear una nueva palabra, puesto que ya conocemos su mecanismo creativo. Sin embargo, una lengua es una tradición, no solo un conjunto de reglas creativas. Por todo eso, te habrá sido útil este ejercicio en el que habrás visto que no siempre es posible la derivación del adverbio a partir de un adjetivo. Estas son las respuestas:

1. Bajo → **bajamente** (*Has actuado muy bajamente*). Es raro.
2. Primero → **primeramente** (*Primeramente, examinaremos la entrada de la catedral*).
3. Segundo → No cuenta con adverbio.
4. Nacional → **nacionalmente** (*Un producto nacionalmente conocido*). Se usa más *internacionalmente*.
5. Viejo → No cuenta con adverbio, aunque sí existe *antiguamente*.
6. Real → **realmente** (*Realmente, no tengo muchas probabilidades*).
7. Tranquilo → **tranquilamente** (*Se sentó tranquilamente*).
8. Quieto → Como *viejo*, no cuenta con adverbio.
9. Japonés → No cuenta con adverbio.

5.14. Hemos hablado de cortesía aparente, porque con estos adverbios pueden construirse mensajes en los que se insulta o critica indirectamente, lo que es una manera de que el acto sea más tolerado:

– *Es como muy tímido.*	– *Está algo gordo.*
– *Es un poco charlatán.*	– *Igual me tengo que ir a las seis.*
– *Casi que anulo la matrícula.*	– *Como que cambio de grupo.*

5.15. Estas son nuestras sustituciones (son posibles, a menudo, otras):

1. El niño jugó en el parque, **conforme** sus padres querían.
2. **Igual que** en todas las cosas, hay que buscar el equilibrio.
3. El Madrid jugó **del mismo modo que** siempre.
4. Se hizo **así como** se acordó.
5. Lo devolvió **tal cual** se lo habían entregado.
6. **Según** se rumorea por ahí, va a haber cambios en la dirección.
7. Su vida va **tal y como** un barco a la deriva.

5.16. En este ejercicio no es posible la sustitución por la lista de la pág. 87 del Libro del alumno, porque ya no estamos estrictamente ante el *como* modal:

1. Ha ingresado **en calidad de** alumno de la universidad de La Rioja.
2. **Si** llegas otra vez tarde, no volvemos a quedar.
3. **De** relaciones públicas, Noelia no tiene precio.
4. Mira *como* Amaya se ha ido al final a Alemania. Este enunciado en el que aparece el *como* anunciativo es ambiguo: 'Mira **el hecho de que** Amaya haya ido al final a Alemania (en contra de lo esperado)' y 'Mira **de qué manera** se ha ido Amaya...'. La entonación especial que en este caso adquiere *como* explica que muchos lo acentúen.
5. **Puesto que** no le hiciste caso, se marchó.
6. Asistieron **aproximadamente** veinte personas a la conferencia.
7. Se ha revelado una auténtica figura del piano. Aquí sencillamente hemos eliminado *como*, porque actúa como una preposición regida por el verbo *revelarse*, verbo que puede aparecer también sin ella sin cambio de significado.

5.17. Para contestar bien en este ejercicio es importante conocer lo que son las *interrogativas retóricas:* un tipo de preguntas en las que estrictamente no se pregunta, sino que se muestra disconformidad ante lo que acaba de oírse. Por eso, si lo que la ha originado (una acción o unas palabras previas) es afirmativo, la interrogativa retórica implica su negación; y viceversa. Lo vamos a ver en estas interrogaciones donde la presencia de *cómo* es muy habitual.

1. ¿*Cómo* va a hablar, si es sordomudo? → 'No puede hablar, porque es sordomudo'.
2. ¿*Cómo* va a hacer algo ese? → 'No va a hacer nada'. El empleo despectivo del demostrativo favorece esta interpretación ofensiva sobre la capacidad de alguien.
3. ¿*Cómo* que no? → 'Por supuesto que sí'.
4. ¿*Cómo* (me) dices eso? → 'No me digas nada'.
5. ¿A *cómo* están los tomates? → Es una forma habitual de preguntar por el precio, siempre oscilante, de los alimentos. Es una variante de otra forma más exacta de preguntar, puesto que de lo que se trata es de una cantidad, que es "¿A cuánto están...?".

Cómo, ya se ha visto, es propio de las interrogativas retóricas en las que se rechazan unas palabras o acciones anteriores. *Conque* encabeza preguntas también retóricas, en las que se reprocha al interlocutor, generalmente, una inconsecuencia entre sus palabras y sus actos, y, consecuentemente, su falta de sinceridad. *¿A que...?* es propio de preguntas en las que se duda de la capacidad del interlocutor, lo que, cuando se trata de una acción futura, constituye también un desafío y una invitación implícita para que la realice.

1. ¿**{Cómo/conque/a que}** no se lo dijiste? → Se lo debiste decir. → Se lo has dicho y te reprocho que me dijeras lo contrario. → Dudo que te atrevieras a hacerlo.
2. ¿**Conque** tenías mucho trabajo? → El hablante reprocha a su interlocutor que dijera que tenía mucho trabajo, lo que se ha descubierto que no es cierto.
3. ¿**Cómo** le dices eso? → No has debido decírselo.
4. ¿**Conque** estabas soltero? → La mentira descubierta ahora era sobre el estado civil del interlocutor.

5.18. Quizá este ejercicio te haya costado porque, además de su dificultad, exige dominar un poco la terminología gramatical. A ver si te ayudamos un poco:

1. Llegó *tan pronto como* los demás. Es una comparación de igualdad entre la prontitud en llegar del sujeto y la de todos los demás.
2. *Tan pronto como* la llamaron, se presentó. Aquí tenemos una subordinada temporal que expresa un suceso inmediatamente anterior a la oración principal ("En cuanto la llamaron...").
3. *Tan pronto* habla, *como* se encierra en el mayor de los mutismos. Es una oración distributiva donde alternan dos sucesos ("Ya habla, ya se encierra...").
4. Hizo *tanto como* los demás. Volvemos a la comparación de igualdad, el sujeto ha hecho lo mismo en cantidad que los demás.
5. Votaron a favor *tanto* unos *como* otros. Una coordinada copulativa ("Votaron a favor unos y otros").

Unidad 6: La memoria

Oraciones concesivas

6.1. **Observa los siguientes enunciados y explica qué diferencia de significado supone el cambio de tiempo y modo verbal indicativo/subjuntivo.**

1. Aunque *trabaja* como un animal, *no logra* que le aumenten el sueldo.
   Aunque *trabaje* como un animal, *no logrará* que le aumenten el sueldo.
2. Nunca me ha atraído mucho la idea de ir al gimnasio, aunque *he tenido* tiempo libre.
   Nunca me ha atraído mucho la idea de ir al gimnasio, aunque *haya tenido* tiempo libre.
3. Aunque *tuviera* las llaves de su casa, nunca entraría sin avisarle antes.
   Aunque *tengo* las llaves de su casa, nunca entraría sin avisarle antes.
4. Hoy ya nadie lo recuerda, aunque *fue* el mejor cantante de aquellos tiempos.
   Hoy ya nadie lo recuerda, aunque *fuera* el mejor cantante de aquellos tiempos.

6.2. **Señala qué ejemplos son correctos y cuáles incorrectos (a estos ponles un *). Después intenta explicar la causa de la incorrección:**

1. Es muy bonito, aunque algo caro.
2. Aunque muy trabajador, es poco listo.
3. Y eso que le había avisado, no vino.
4. Por muy que sea listo, no aprobará sin estudiar.
5. Y mira que se lo advirtiera, le han robado el móvil.

6.3. **Señala en qué casos se da la equivalencia *aunque↔pero*. Intenta explicar con los ejemplos cuándo esta es imposible:**

1. Aunque llame, no le abras.
2. Vive cerca del parque, aunque no se le ve nunca pasear por él.
3. Aunque no se le ve nunca pasear por él, vive cerca del parque.
4. No terminará la tarea a tiempo, aunque le ayuden todos.

6.4. **Elige la opción más lógica para continuar las siguientes oraciones:**

1. A pesar de ser ingeniero, {se equivoca al sumar/es soriano/no le gustan los perros/ha ido al fútbol}.
2. Aunque no hablaba bien español, {viajó a Brasil/se fue a trabajar a Guinea Ecuatorial/le han dado una beca para estudiar en EE. UU./le encantaba la Antártida}.
3. Pese a que lleva veinte años de bombero, {no tiene hijos/está en plena forma física/todavía le asusta el fuego/no tiene ahorros}.
4. {Mañana es fiesta/sigue dejando sin tapar la pasta de dientes/terminó el curso/hace mucho frío} y mira que se le ha advertido mil veces que no lo haga.

Seguro que algunas de las opciones te han parecido disparatadas a pesar de que la experiencia nos pone a menudo ante situaciones sorprendentes que destruyen tópicos y que nos enseñan que casi nada es imposible. Además, a veces el hablante puede optar por una opción aparentemente absurda buscando algún efecto sorprendente. Es bastante conocida la expresión: *mi compañero y, sin embargo, amigo*... Siéntete creativo y propón tú también una frase ingeniosa en la que se junten dos datos contrapuestos.

6.5. **Teniendo en cuenta lo que aparece en el Libro del alumno, pág. 105, explica cuándo debe aparecer el infinitivo después de *a pesar de*. Puede ayudarte la comparación entre estos enunciados:**

A pesar de que su padre era el portero, no pudo entrar en el estadio.
A pesar de ser él el portero, no pudo entrar en el estadio.

6.6. **Empareja las informaciones de la columna izquierda con las que se les opongan de la derecha. Construye después oraciones con cada pareja utilizando estos conectores: *a pesar de, a pesar de que, aunque, y eso que, pese a que, por mucho/a/os/as... que, por más... que, aun* + GERUNDIO.**

Ejemplo: 1D. *A pesar de la lluvia, voy a salir.*

1. Llover. •	• a. Encantarle a uno navegar y no tenerle ningún miedo.
2. Tener 45 años. •	• b. No perder nunca la sonrisa.
3. Decir siempre que no tener dinero. •	• c. Seguir poniéndose de los nervios.
4. Abuela morir hace 43 años. •	• d. Salir.
5. No saber nadar. •	• e. Solicitar un trabajo en Nueva York.
6. Sucederle muchas desgracias. •	• f. Llorar todavía al oír su nombre.
7. Viajar muchas veces en avión. •	• g. Ir todos los años de vacaciones.
8. No gustarle a uno las grandes ciudades. •	• h. Aparentar 30 (años).

6.7. **En la pág. 105 del Libro del alumno se te ha ofrecido una lista de conectores concesivos; algunos, como *aunque*, pueden ir con indicativo y subjuntivo, pero otros solo admiten uno de los dos modos. El ejercicio es sobre estos últimos, con lo que tu tarea consiste en conjugar adecuadamente los infinitivos:**

1. Así la (castigar) ...., mi hija llega siempre tarde.
2. Con todo lo que (trabajar) .... por ese proyecto, (y) no se lo han dado.
3. Tiene alto el colesterol, y eso que ni (beber) .... ni (fumar) ....
4. (Costar) .... lo que (costar) ...., tráetelo.

Para terminar este ejercicio sobre conectores concesivos y modo verbal, ¿en qué enunciado *salvo que* te parece que actúa más como un conector de este tipo?

1. *No lo invitaré,* ***salvo que*** *me pida perdón.*
2. ***Salvo (que*** *es)*[1] *un poco pesado, es un buen amigo.*

6.8. **Observa los siguientes enunciados. ¿En qué espacios en blanco colocarías *pero* y en cuáles *aunque*? ¿Y en cuáles son posibles los dos? Recuerda el ejercicio 6.3.**

1. .... va a ir al examen por si suena la flauta[2], solo se ha estudiado cuatro temas de los cincuenta del programa.
2. No querían reconocerlo, ... sabían que su matrimonio estaba acabado desde hacía ya muchos años.
3. Tiene el armario lleno de ropa; .... llegan las rebajas y compra compulsivamente.
4. .... el médico le había dicho que debía jubilarse, él iba a la oficina todos los días porque eso era lo único que había hecho en los últimos cuarenta años y no sabía vivir de otra forma.
5. Yo lo he visto deshacerse en lágrimas viendo una película; .... parezca una persona muy dura.

[1] Si el verbo coincide en ambos miembros de la oración compuesta, es normal suprimirlo en la subordinada concesiva, la que lleva el conector. Por eso, hemos puesto entre paréntesis este primer *es*, cuya omisión arrastra la de *que*, solo posible introduciendo oraciones, no sintagmas o palabras.

[2] *Sonar la flauta (por casualidad)* es una frase hecha, tomada de una vieja fábula, que indica que se ha logrado felizmente un determinado objetivo por puro azar.

6.9. **Lee este texto y sustituye *aunque* por otros conectores. Debes cambiar la estructura de las oraciones cuando sea necesario.**

Frida Kahlo y la fotografía

Cuando Frida tenía cuatro años su padre le hizo una fotografía donde, con un poco de malicia, pueden vislumbrarse ciertos elementos de su futuro; lleva unas botas amarillas, un vestido blanco y un gesto donde conviven la soltura, el desafío y el embeleso. A todas luces se ve que la niña está encantada de que le hagan esa foto. En la mano izquierda sostiene un ramo de flores muertas, síntesis de la vida trágica que le espera, **aunque** ella todavía no lo sospecha. La mítica Frida nació en México en 1907, **aunque** ella decía que fue en 1910; no para quitarse unos años, sino para que su horóscopo cuadrara con el de la revolución mexicana. Primero padeció poliomielitis y, años más tarde, antes de que cumpliera 20, un choque de autobús contra un tranvía la dejó maltrecha y le hizo pasar el resto de sus días convaleciente y traspasada por el dolor.

Frida, hija y nieta de fotógrafos, era dueña, como puede verse en aquella primera fotografía, de una fotogenia sobrenatural. No era guapa, **aunque** poseía una extraña belleza, sensual y exótica, y sabía cómo posar. Con los años, cuando su talento de pintora comenzó a aflorar, dedicó su obra al autorretrato, esa disciplina que, desde cierto ángulo, es también fotografiarse. Era la quinta hija de los Kahlo y la favorita de su padre, Wilhem, cosa que puede apreciarse en las fotografías que le hizo a lo largo de su juventud donde su gesto y su actitud reflejan que sabía que estaba posando para un hombre que la amaba. El 16 de octubre de 1932, su padre le hizo una de las fotografías más perturbadoras: un retrato en el que aparece cruzada de brazos, vestida de oscuro. Quizás porque ha llorado mucho, da la impresión de que su mirada nos llega de lejos, como si nos viera desde otra dimensión. La foto se titula *Retrato de Frida después de la muerte de su madre*. ***Aunque*** este retrato es la viva imagen de la desgracia, y la desgracia es fea, su rara belleza resulta insólita.

Fueron muchos los fotógrafos que cayeron bajo el embrujo de su tremenda fotogenia: Dora Maar, Edward Weston, Manuel Álvarez Bravo, Gisele Freund, Imogen Cunningham, Tina Modotti, Luciene Bloch, Carl van Vechten, Martin Munkacsi y Nicholas Muray. Según Edward Weston, cuando Frida caminaba por la calle, la gente se detenía para mirar bien a esa mujer de atuendo y peinado exótico llena de joyas de corte prehispánico. Frida era consciente de la atracción que despertaba en la gente, y por ello cuidaba su aspecto. Sus amigos recuerdan cómo se preparaba cada vez que alguien iba a tomarle una fotografía: se ponía frente a su armario –abarrotado de prendas, adornos y afeites de todas las etnias mexicanas– y durante horas diseñaba escrupulosamente su vestimenta. Parecía que se preparaba para representar un papel más que para hacerse una fotografía. "Sabía que el campo de batalla del sufrimiento se reflejaba en mis ojos, desde entonces empecé a mirar directamente a la lente, sin parpadear, sin sonreír, decidida a mostrar que ***aunque*** mi vida fuera una desgracia, yo sería una buena luchadora hasta el final". Así explicó Frida el secreto de su fotogenia, como una lucha contra su cuerpo enfermo: la voluntad de ser bella para combatir el dolor.

Murió en su cama, rodeada de algunos amigos que, siguiendo las instrucciones que ella les dio antes de morir, vistieron y maquillaron su cadáver para que Lola Álvarez Bravo le hiciera su última fotografía.

Adaptado de *El País Semanal*.

6.10. **Los siguientes sustantivos aparecen en el texto. Localízalos y formula una definición para cada uno de ellos. Después comprueba en un diccionario que tu definición es correcta.**

1. Soltura: ....
2. Desafío: ....
3. Embeleso: ....
4. Fotogenia: ....
5. Embrujo: ....
6. Atuendo: ....
7. Afeite: ....

6.11. **Busca los siguientes adjetivos en el texto y sustitúyelos por sinónimos o paráfrasis (expresión equivalente con más de una palabra, que supone cierto rodeo):**

1. Convaleciente: ....
2. Traspasada (por el dolor): ....
3. Perturbadoras: ....
4. Insólita: ....
5. Tremenda: ....
6. Abarrotado: ....

6.12. **Redacta un escrito en el que describas a alguna persona famosa en la que veas aspectos positivos y negativos. Será interesante que procures contraponerlos, para lo que puedes servirte de los conectores adversativos de la unidad y de expresiones como *capaz de lo mejor y de lo peor, unos días de una manera y otros de otra.***

6.13. **En el texto han aparecido numerosos *aunque*, ¿te parece que reflejan algún aspecto importante de la personalidad de Frida Kahlo?, ¿sus rasgos más significativos se desarrollaron ante condicionamientos adversos?**

6.14. **Intenta explicar las claves culturales que hay detrás de estos ejemplos. Seguro que te hacen recordar a lo visto en 6.4.:**

1. Aunque la ceremonia era muy solemne, se compró el traje en *Alcampo*.
2. Aun sabiendo que pueden morir en el intento, siguen intentando cruzar el estrecho en pateras.
3. Por mucho que lo prohíban, los jóvenes seguirán haciendo botellón.
4. Aún vive con sus padres, y eso que ya tiene 48 años.
5. Es gallego, pero nunca lleva paraguas.

6.15. **¿Qué comunican los siguientes conectores marcados en cursiva? Ten cuidado porque todos se parecen mucho.**

1. *Por más que* lo intenta, siempre fracasa.
2. No fui *porque* no me avisaron.
3. El médico me ha prohibido fumar; *por lo que* voy a tener que dejarlo.
4. Engorda *por poco que* coma.
5. Se han llevado la escalera *por que* subí.
6. Luchó *por que* le dieran el premio.
7. *Por que* sea un alto cargo, no puede hacer lo que le dé la gana.

6.16. **Construye tres ejemplos con estos conectores *aun* + GERUNDIO, *pese a que, a pesar de* + INFINITIVO, en los que un hecho no produce el efecto esperado. Por ejemplo: *A pesar de que* se lo repitieron, se le olvidó en seguida.**

6.17. **El siguiente poema es un fragmento del monólogo más célebre de Segismundo, el protagonista de *La vida es sueño* de Calderón de la Barca. Dicho monólogo tiene lugar en la prisión en la que su padre lo tiene desde su nacimiento. Observa las preguntas en negrita, que el protagonista se hace a sí mismo; ¿podrías reformularlas convirtiéndolas en oraciones concesivas con cuatro conectores distintos? Por otra parte, intenta explicar estas preguntas teniendo en cuenta los versos que las preceden:**

Nace el ave, y con las galas
que le dan belleza suma,
apenas es flor de pluma,
o ramillete con alas,
cuando las etéreas salas
corta con velocidad,
negándose a la piedad
del nido que deja en calma;
¿y teniendo yo más alma,
tengo menos libertad?

Nace el bruto, y con la piel
que dibuja manchas bellas,
apenas signo es de estrellas
–gracias al docto pincel–,
cuando, atrevido y cruel,
la humana necesidad
le enseña a tener crueldad,
monstruo de su laberinto;
¿y yo, con mejor instinto,
tengo menos libertad?

Nace el pez, que no respira,
Aborto de ovas y lamas,
y apenas bajel de escamas
sobre las ondas se mira,
cuando a todas partes gira,
midiendo la inmensidad
de tanta capacidad
como le da el centro frío;
**¿y yo, con más albedrío,
tengo menos libertad?**

Nace el arroyo, culebra
que entre flores se desata,
y apenas sierpe de plata,
entre las flores se quiebra,
cuando músico celebra
de las flores la piedad
que le dan la majestad
del campo abierto a su huida;
**¿y teniendo yo más vida,
tengo menos libertad?**

6.18. **A Santa Teresa de Jesús le gustaba repetir en los momentos difíciles: "Aunque me canse, aunque no pueda, aunque reviente, aunque me muera...". Piensa en cómo podrías concluir este enunciado abierto.**

Claves

Unidad 6: La memoria

6.1. Estas son las diferencias de significado:

1. Primera opción: no cabe duda de que el sujeto trabaja mucho. El hablante se compromete con la verdad de lo que expresa en el enunciado introducido por *aunque*.
   Segunda opción: no se sabe si el sujeto trabaja mucho. El hablante no se compromete con la verdad de lo que expresa en el enunciado introducido por *aunque*, puede que sea porque se trate de una afirmación ajena de la que se hace solo eco (eso lo has dicho tú, no yo), puede que sea simplemente porque se trata de un dato irrelevante.
2. Primera opción: el hablante afirma haber tenido tiempo libre. Se compromete con la verdad de lo que expresa en el enunciado introducido por *aunque*.
   Segunda opción: el hablante deja en duda si ha tenido tiempo libre o no. No se compromete con la verdad de lo que expresa en el enunciado introducido por *aunque*.
3. Primera opción: el hablante presenta una situación hipotética. No sabemos si tiene las llaves o no, aunque seguramente sugiere que no.
   Segunda opción: el hablante presenta una situación real. Tiene las llaves.
4. Primera opción: el hablante opina que el artista del que habla era el mejor cantante. Se compromete con la verdad de lo que expresa en el enunciado introducido por *aunque*.
   Segunda opción: el hablante no da su opinión. No se compromete con la verdad de lo que expresa en el enunciado introducido por *aunque*.

6.2. Los ejemplos incorrectos son:

3. *Y eso que le había avisado, no vino. Explicación: *Y eso que* siempre debe aparecer después de la oración principal: *No vino, y eso que le había avisado.*
4. *Por muy que sea listo, no aprobará sin estudiar. Explicación: El adjetivo (en este caso, *listo*) debe aparecer inmediatamente después de muy. El orden correcto es: *Por muy* + ADJETIVO/ADVERBIO + *que* + SUBJUNTIVO. De modo que la oración quedaría como sigue: *Por muy listo que sea, no aprobará sin estudiar.* También existe otra posibilidad: *Por* ***mucho*** *que sea listo, no aprobará sin estudiar.*
5. *Y mira que se lo advirtiera, le han robado el móvil. Explicación: *Y mira que* siempre debe aparecer después de la oración principal. Además, rige indicativo, nunca subjuntivo: *Le han robado el móvil, y mira que se lo advertí.* Volveremos con el modo verbal de las construcciones concesivas en el ejercicio 6.7.

6.3. La equivalencia *aunque*↔*pero* se da cuando ambos son adversativos, no en los casos en que *aunque* funciona como concesivo. Cuando concurren, la presencia más normal es la de *pero*, que además restringe al primer miembro con más fuerza que el *aunque* adversativo. En el ejercicio, solo en 2 pueden alternar los dos conectores (Vive cerca del parque, {**pero/ aunque**} no se le ve nunca pasear por él). En los demás casos resulta imposible por los siguientes motivos:

1. ***Pero** llame, no le abras: *Pero* nunca puede introducir un subjuntivo; además solo puede aparecer pospuesto.
3. ***Pero** no se le ve nunca pasear por él, vive cerca del parque: *pero* solo puede aparecer pospuesto; cabe la posibilidad de invertir el orden de las oraciones, de manera que la equivalencia sí sería posible: *Vive cerca del parque,* ***aunque*** *no se le ve nunca pasear por él.* ↔ *Vive cerca del parque,* ***pero*** *no se le ve nunca pasear por él.*
4. *No terminará la tarea a tiempo, **pero** le ayuden todos: *Pero* nunca puede introducir un subjuntivo.

6.4. Las opciones más lógicas son:

1. A pesar de ser ingeniero, se equivoca al sumar.
2. Aunque no hablaba bien español, se fue a trabajar a Guinea Ecuatorial. Recuerda que Guinea Ecuatorial fue una antigua colonia española en África, donde sigue hablándose mayoritariamente el español.
3. Pese a que lleva veinte años de bombero, todavía le asusta el fuego.
4. Sigue dejando sin tapar la pasta de dientes, y mira que se le ha advertido mil veces que no lo haga.

La creación ingeniosa es libre. Te proponemos esta, en la que se busca mediante el absurdo más o menos evidente, realizar una crítica: *Aunque está en la universidad, sabe leer y escribir.* Como ves, las oraciones concesivas son un buen recurso para la ironía.

6.5. El infinitivo debe aparecer cuando coinciden los sujetos de la oración principal y de la oración introducida por *a pesar de.*

6.6. Las correspondencias son: **1.** d; **2.** h; **3.** g; **4.** f; **5.** a; **6.** b; **7.** c; **8.** e. Esta es nuestra propuesta de posibles oraciones con conectores (en algunos casos hay más de una posibilidad para unir las dos informaciones):

1. *A pesar de la lluvia, voy a salir.*
2. *Aunque tiene 45 años, aparenta 30.*
3. *Todos los años se van de vacaciones, y eso que siempre dicen que no tienen dinero.*
4. *A pesar de que su abuela murió hace 43 años, ella todavía llora al oír su nombre.*
5. *Aun no sabiendo nadar, le encanta navegar y no le tiene ningún miedo.*
6. *Por muchas desgracias que le hayan sucedido, nunca ha perdido la sonrisa.*
7. *Por más que ha viajado en avión, sigue poniéndose de los nervios.*
8. *Ha solicitado un trabajo en Nueva York, pese a que no le gustan las grandes ciudades.*

6.7. Que un conector se construya con indicativo o subjuntivo depende mucho de la naturaleza de la información que introduce. Con indicativo se realizan afirmaciones ciertas, con el subjuntivo se representan sucesos o situaciones hipotéticas. Estas serían las respuestas:

1. Así la **castiguen**, mi hija llega siempre tarde.
2. Con todo lo que {**trabajó, ha trabajado**} por ese proyecto, (y) no se lo han dado.
3. Tiene alto el colesterol, y eso que ni **bebe** ni **fuma**.
4. **Cueste** lo que **cueste** (= 'aunque cueste mucho'), tráetelo.

Sobre la cuestión con *salvo que*, este en subjuntivo se aproxima al *si* condicional *(No lo invitaré,* ***salvo que*** *me pida perdón.* → ***Si*** *me pide perdón, lo invitaré).*

En indicativo, la correspondencia es con *aunque*, que puede ocupar su lugar sin que exista una equivalencia completa: ***Salvo que*** *(es) un poco pesado, es un buen amigo./****Aunque*** *(es) un poco pesado, es un buen amigo.* No son completamente sinónimos, porque lo que comunica *salvo que* es una limitación, una excepción que no invalida la verdad fundamental de que es un buen amigo. Con *aunque* se expresa un inconveniente que no impide esta afirmación. La diferencia es pequeña y tiene que ver con todo ese mundo de matices que pone la lengua al servicio del hablante maduro.

6.8. Ya sabemos que *aunque* puede funcionar como conector adversativo o concesivo, *pero* solo como adversativo. Por lo tanto, únicamente son intercambiables cuando los dos son adversativos. A veces, como verás en seguida, no siempre es fácil saber si *aunque* es concesivo o adversativo, y puede sustituirse o no por *pero*. Una ayuda importante la encontrarás en lo que decíamos en las claves de 6.3.: si *aunque* introduce el primer miembro de la oración compuesta, o va con subjuntivo, no puede reemplazarse por *pero*. Vamos ya a las soluciones del ejercicio:

1. **Aunque** va a ir al examen por si suena la flauta, solo se ha estudiado cuatro temas de los cincuenta del programa.
2. No querían reconocerlo, **aunque/pero** sabían que su matrimonio estaba acabado desde hacía ya muchos años. Son posibles los dos conectores como conectores adversativos. Sin embargo, esta equivalencia no es segura por completo, pues el *aunque* del ejemplo es interpretable también como concesivo: si el miembro oracional que encabeza se percibe como un hecho que no produce el efecto esperado y, por tanto, puede anteponerse o ir en subjuntivo *(Aunque sabían que su matrimonio..., no querían reconocerlo; Aunque supieran que...).* Un último dato, aunque más difícil de captar: cuando el *aunque* adversativo va en medio de la oración suele ir antecedido de una pausa frente a cuando es concesivo.
3. Tiene el armario lleno de ropa; **pero/aunque** llegan las rebajas y compra compulsivamente. Aquí *aunque* solo funciona como adversativo.
4. **Aunque** el médico le había dicho que debía jubilarse, él iba a la oficina todos los días porque eso era lo único que había hecho en los últimos cuarenta años y no sabía vivir de otra forma.
5. Yo lo he visto deshacerse en lágrimas viendo una película; **aunque** parezca una persona muy dura.

6.9. Esta podría una respuesta:

1. En la mano izquierda sostiene un ramo de flores muertas, síntesis de la vida trágica que le espera, *lo sospeche ella o no.*

2. La mítica Frida nació en México en 1907, *por mucho que ella dijera* que fue en 1910; no para quitarse unos años, sino para que su horóscopo cuadrara con el de la revolución mexicana.
3. No era guapa, *pero* poseía una extraña belleza, sensual y exótica, y sabía cómo posar.
4. *Por mucho que* este retrato *sea* la viva imagen de la desgracia, y la desgracia es fea, su rara belleza resulta insólita.
5. "Sabía que el campo de batalla del sufrimiento se reflejaba en mis ojos, desde entonces empecé a mirar directamente a la lente, sin parpadear, sin sonreír, decidida a mostrar que *aun siendo* mi vida una desgracia, yo sería una buena luchadora hasta el final".

6.10. De forma breve, así se definirían los nombres de la lista (solo los nombres, porque alguno tiene una forma verbal homónima):
1. 'Agilidad, prontitud, expedición, gracia y facilidad en lo material o en lo inmaterial'.
2. 'Acción y efecto de desafiar (contender, competir con alguien en cosas que requieren fuerza, agilidad o destreza; enfrentarse a las dificultades con decisión)'.
3. 'Efecto de embelesar (suspender, arrebatar, cautivar los sentidos)'.
4. 'Cualidad de fotogénico (que resulta bien en fotografía)'.
5. 'Que ejerce una fascinación, una atracción misteriosa y oculta'.
6. 'Atavío, vestido'.
7. 'Cosmético, producto que se utiliza para la higiene o belleza del cuerpo'.

6.11. Propuesta de sinónimos o paráfrasis: **1.** 'en camino de sanar, pero sin curar del todo'; **2.** 'atravesada (por el dolor)'; **3.** 'inquietantes'; **4.** 'extraordinaria, inusual'; **5.** 'formidable, enorme'; **6.** 'atestado, lleno'.

6.12. La respuesta aquí es libre.

6.13. El empleo de *aunque* dota a la descripción de la pintora de un carácter paradójico. En los enunciados concesivos y adversativos, el hablante contrapone dos informaciones que contrastan fuertemente entre sí.
De modo semejante, la vida de Frida Kahlo estuvo marcada por una gran oposición entre las desgracias que le tocó vivir, que habrían hundido a cualquiera, y su lucha incansable por salir a flote. Su personalidad se caracterizó por una fuerza increíble para la lucha constante frente a la adversidad. Sin duda, esta lucha conformó los dos rasgos más significativos de esta: su belleza inventada –resultado de adornar lo que ella consideraba una fealdad natural– y su fortaleza mental –resultado de su lucha frente a su debilidad física y las dificultades que el destino puso en su camino.

6.14. Las claves culturales son las siguientes:
1. *Alcampo* es el nombre de una cadena francesa de hipermercados que ofrecen todo tipo de productos, entre ellos ropa de calidad media-baja a un precio moderado-bajo. No es un lugar normal para comprar ropa de etiqueta.
2. El estrecho hace referencia al estrecho de Gibraltar que separa el continente africano del europeo; las pateras son unas pequeñas embarcaciones que emplean los inmigrantes ilegales para atravesar este estrecho. A la costa española llegan constantemente pateras sobrecargadas de inmigrantes procedentes de diversos países africanos; sin embargo, no todos logran alcanzar la costa, muriendo muchos de ellos en el desesperado intento de conseguir una vida mejor.
3. "Hacer (un) botellón" significa reunirse un grupo de amigos jóvenes en un parque o cualquier otro espacio público donde consumen diferentes tipos de bebidas alcohólicas que ellos mismos han comprado en algún supermercado. El propósito es beber alcohol a un precio bastante más bajo que en los bares y en un ambiente de más libertad.
4. A esa edad es extraño que una persona siga viviendo con sus padres, por lo que el enunciado puede suscitar comentarios irónicos sobre tal conducta. Sin embargo, las cosas han cambiado mucho y por diversas circunstancias (paro, carestía de la vivienda, rupturas matrimoniales), cada vez es más frecuente la permanencia en el hogar familiar de hijos mayores, aunque sin llegar al extremo del enunciado.
5. Galicia es una región de España que se caracteriza por tener un clima bastante lluvioso respecto a la media nacional, y hay la imagen típica del gallego con un paraguas siempre colgado del brazo.

6.15. Los conectores de los ejemplos comunican lo siguiente:
1. *Por más que* comunica insistencia en el intento de conseguir algo que no llega a conseguirse.
2. *Porque* explica explícitamente la causa de que el emisor no acudiera a algún sitio.
3. *Por lo que* presenta la consecuencia enfatizando la relación causa-efecto (prohibición del hábito de fumar → abandono de dicho hábito).
4. *Por poco que* expresa una mínima intensidad (comer poco) que conduce a un resultado (engordar) que normalmente solo debería producirse debido a una mayor intensidad (comer mucho); si uno come poco se supone que no engorda o incluso que adelgaza.
5. *Por que* equivale aquí a la combinación *por* + PRONOMBRE RELATIVO. Puesto que este tiene como antecedente un nombre femenino *(la escalera)*, la combinación equivale a *por la que* o *por la cual*, más normales que este *por que*.

6. *Por que* equivale en esta segunda aparición a la conjunción final *para que*. La ortografía de este *por que* final fluctúa, y es normal encontrarlo escrito junto. Nosotros, para diferenciarlo del *porque* de causa, preferimos escribirlo separado.
7. *Por que* vuelve al ámbito de lo concesivo y equivale a *aunque* y más propiamente *por el hecho de que*.

6.16. Las posibilidades son infinitas, pero aquí te ofrecemos tres ejemplos de muestra:
1. *Aun habiéndolas regado todos los días, las plantas se han secado.*
2. *Tuvo un accidente muy grave, pese a que era muy buen conductor.*
3. *A pesar de que tiene muchos problemas, duerme siempre a pata suelta.*

6.17. Un filósofo de origen francés, R. Girard, ha hablado del *deseo mimético* como origen de muchos males humanos. Tal deseo surge cuando se observa lo que tienen los demás y nosotros, no. Todas las preguntas que se hace Segismundo, un joven príncipe polaco al que ya sabes que su padre ha encerrado desde niño en una torre, provienen de esta situación de prisionero y la libertad que contempla en toda la naturaleza. Con este concepto de *deseo mimético*, comentamos sus preguntas, reformuladas con distintos conectores concesivos. Date cuenta de que las preguntas van dirigidas a alguien, a quien no se nombra y a quien Segismundo responsabiliza de que él carezca de lo que tienen todos los demás.

1. "*¿Y pese a que* tengo yo más alma, tengo menos libertad?".
   Las aves son animales, seres, pues, sin ese espíritu superior que en la tradición cristiana se ha conocido como alma, y uno de cuyos atributos es la libertad frente al dominio de los instintos. Segismundo se queja de que él, siendo un ser humano y teniendo más alma que las aves, no goza de su libertad. Recuerda que las aves, por su capacidad de volar, se han visto a menudo como símbolos de libertad frente a las leyes físicas. Si conoces el libro de R. Bach, *Juan Salvador Gaviota*, lo entenderás muy bien.
2. "¿Y yo, *por más que* poseo mejor instinto, tengo menos libertad?".
   El "bruto con manchas en la piel y cruel por necesidad" es el tigre, animal con fama de sanguinario, pero que, por supuesto, es libre en la medida de que es un animal salvaje. Segismundo lamenta que, pese a ser menos cruel, no disfrute de su libertad.
3. "¿Y yo, *aun gozando* de más albedrío, tengo menos libertad?".
   La palabra *albedrío* significa 'libertad'. Ahora se emplea poco, en la época de Calderón era muy común en las discusiones religiosas suscitadas tras la reforma protestante para referirse a un aspecto estrictamente reservado a la libertad humana, la de elegir entre el bien y el mal. El pez vive en las aguas en plena inmensidad y, por tanto, en libertad. Por ser un animal no goza de albedrío; sin embargo él, un ser humano que sí lo tiene, se ve preso sin ni siquiera la libertad de movimiento del pez.
4. "¿Y yo, *mira que tengo* más vida, tengo menos libertad?".
   Por último, el príncipe se compara (la comparación es el inicio del deseo mimético) con un arroyo, ser sin vida, pero con la libertad suficiente como para moverse por el campo. Él, con más vida que el arroyo, ni siquiera tiene su libertad.

6.18. La contestación también es libre. Pensando en tus circunstancias, así podrías concluir:
1. *Aunque me canse, aunque no pueda, aunque reviente, aunque me muera; terminaré el curso de español.*
2. *Aunque me canse, aunque no pueda, aunque reviente, aunque me muera; dejaré de mirar las claves antes de intentar hacer por mí mismo los ejercicios.*

Leyendo nuestra propuesta, probablemente se te han ocurrido más finales. De todas formas, lee con atención las palabras de Santa Teresa, quizá no sea tan fácil terminar el enunciado.

Unidad 7: El medio ambiente

Oraciones relativas, adjetivos y oraciones relativas especificativas y explicativas, coherencia y cohesión textual

7.1. Las oraciones de relativo sirven para hacer más fluida la comunicación y evitar repeticiones de sustantivos. Une las siguientes parejas convirtiéndolas en una sola oración en la que haya una relativa:

1. Compré un coche. - El coche lo habían fabricado en Japón.
2. Viajé a Italia. - En Italia me esperaban unos amigos.
3. Ese señor se llama D. Pablo. - El hijo de ese señor estudió conmigo la carrera.
4. Esa chica trabaja en mi empresa. - Me viste el otro día hablando con esa chica.
5. Me puse el sábado un traje gris. - Me regalaron el día de mi cumpleaños ese traje gris.

7.2. Clasifica los siguientes ejemplos de oraciones de relativo en especificativas y explicativas. Justifica la respuesta de acuerdo con las definiciones proporcionadas en el Libro del alumno, pág. 128. Para aprovechar el ejercicio y comprender mejor la distinción entre ambos tipos de oraciones relativas, imagina los contextos en que pueden haberse creado estas oraciones.

1. La película a la que fue Sofía era del Oeste.
2. La película, a la que fue Sofía, era del Oeste.
3. Las películas, que le gustan a Sofía, son del Oeste.
4. Las películas que le gustan a Sofía son del Oeste.
5. Las películas que ve siempre son del Oeste.
6. John Wayne, a quien viste en *Centauros del desierto,* era el actor favorito de John Ford.
7. El futbolista, de quien era ese deportivo, fue multado por exceso de velocidad.

7.3. Las oraciones de relativo pueden ir con indicativo, subjuntivo o infinitivo. Conjuga el verbo que aparece en infinitivo en la forma adecuada en los siguientes enunciados. Si es posible más de una, indícalo:

1. No he encontrado a nadie que (saber) .... tanto como Miriam.
2. El que mal (andar) ...., mal acaba.
3. ¿Tiene algo que (declarar) ....?
4. Esta es la mejor película que (echar) .... hoy en la tele.
5. Este es el mejor libro que jamás (leer) .... leído.
6. Cuando llega una fiesta, nunca tiene nada que (ponerse) ....
7. (Hacer) .... lo que (hacer) ...., tú no te muevas.
8. Tengo pocos amigos en quienes (confiar) ....
9. Cualquiera que (creer) .... eso, es un ignorante.

7.4. Coloca en el hueco el relativo adecuado (es posible que quepa más de uno), al que alguna vez habrá que acompañar con una preposición o artículo:

1. Todos .... vinieron a la fiesta eran amigos del novio.
2. .... con niños se acuesta, mojado se levanta.
3. La obra .... autor era el mismo Cervantes se titulaba *Numancia.*
4. Huyó como alma .... lleva el diablo.
5. Se enzarzaron en una pelea, ... fue muy desagradable.
6. Viajó .... le habían dicho que encontraría trabajo.
7. A mí, ... siempre la he ayudado, me ha insultado también.

7.5. **Identifica el antecedente de los relativos de los siguientes ejemplos. Si está omitido, señálalo. Aprovecha el ejercicio para explicar la presencia de la preposición que a veces los acompaña:**

1. Me disgusta que las chicas que vienen con nosotros sean tan poco serias.
2. Está arreglando un ordenador cuyo dueño es ese señor que ves ahí.
3. Le robaron el coche el otro día, de donde le ha venido un gran disgusto.
4. ¿No hay nadie de la que puedas fiarte?
5. Estoy pensando en el problema del que te hablé.
6. Estaba en el hospital muy enfermo, lo cual era muy triste.
7. No fueron hacia donde se encontraban todos.

7.6. **Algunos relativos son muy estrictos respecto a sus posibles antecedentes. ¿Cuáles son las especificaciones de los antecedentes seleccionados por *quien, como, cuando, donde* y *cuyo*? Teniendo las ideas claras, elige el relativo adecuado de esta lista para rellenar estos huecos:**

1. No han encontrado nada .... vivían aquellos traficantes.
2. Mi vida va .... un barco a la deriva.
3. Casualmente llegó .... no había nadie.
4. Ese es Javier, el profesor a .... alumnos di una clase de fonética.

7.7. **Existen interesantes correspondencias entre oraciones relativas y oraciones sustantivas. Mira este ejemplo: *Me asombra la cara que puso.* → *Me asombra que pusiera esa cara.* Teniéndolo en cuenta busca un sinónimo para cada una de las oraciones relativas de la siguiente lista (habrá que hacer algún ajuste):**

1. Le divierten las películas que echan los sábados por la tarde.
2. Vio lo sucias que estaban las calles.
3. Me fastidia esa mala cara que pone siempre.
4. No han descubierto a nadie que quiera ir.

Una vez buscados, ¿qué diferencias observas entre las oraciones relativas y las sustantivas correspondientes?

7.8. **Teniendo en cuenta lo que aparece en la pág. 128 del Libro del alumno, piensa en el sentido idiomático de estos animales en español. Por ejemplo, la oveja se asocia a la estupidez *(Si es más tonto, nace oveja)*, al aburrimiento *(Aburre a las ovejas, Contar ovejas)* y al gregarismo *(Eres un borrego)*:**

1. Cordero ....
2. Lirón ....
3. Toro ....
4. Marmota ....
5. Loro ....
6. Buitre ....
7. Tortuga ....
8. Víbora ....
9. Cangrejo ....
10. Tiburón ....
11. Foca ....
12. Mosca ....
13. Vaca ....

7.9. **Rellena con el animal adecuado el hueco abierto en las siguientes expresiones:**

1. Está hecha una .... de gorda.
2. Es más pesado que una .... en brazos.
3. Es más lento que una ....
4. Ese alumno es una .... cojonera: está todo el día incordiando.
5. Duerme como una .... y como un ...., los dos juntos.
6. Vas para atrás, como los ....
7. Su novia no es muy guapa, pero tampoco es un ....
8. En esa pobre población fueron exterminados como .... que van al matadero.
9. Siempre quiere quedarse con todo, ten cuidado con él que es un ....
10. Está hecho un ...., de lo fuerte que está.

11. Ten cuidado con su lengua, es una ....
12. Las negociaciones entre los países de la UE son entre ....

7.10. **Al igual que las oraciones de relativo, los adjetivos son especificativos cuando sirven para restringir la referencia del nombre *(libro electrónico)*, o explicativos (llamados en la tradición literaria epítetos) cuando destacan una cualidad presente siempre en la referencia del nombre *(fría nieve)*, por lo que no posee valor distinguidor. Esta distinción entre ambos adjetivos depende mucho del contexto, por lo que no puede decirse sin más de un adjetivo sin ver el ejemplo en que aparece que es especificativo o explicativo. Señala en estos tres ejemplos si el adjetivo *azul* es especificativo o explicativo:**

1. Se compró un automóvil azul.
2. Me encantan sus ojos azules.
3. El Nilo azul.

7.11. **Pese a su dependencia del contexto, la distinción entre adjetivo especificativo y explicativo se relaciona con la propia significación del adjetivo. A este respecto se habla de adjetivos *calificativos (alto, guapo, feliz, difícil...)*, que, como su propio nombre indica, expresan cualidades subjetivas; y de adjetivos *relacionales (oxigenado, metálico, pétreo...)*, más objetivos, y cuyo rasgo esencial es su relación con algún tipo de nombre. Los adjetivos calificativos son los que con mucha más facilidad pueden ser explicativos. Con esta información, señala con qué nombre se relacionan los siguientes adjetivos relacionales:**

1. cupríneo........................
2. culinario ....
3. digital............................
4. vírica ....
5. plúmbeo ....
6. ebúrneo ....
7. eólico ....
8. colombino ....
9. fiscal ....

7.12. **Algunos nombres cuentan con más de un adjetivo relacional, cuya elección depende a veces del nombre con el que vayan a combinarse. Busca ejemplos de nombres con los que combinar adecuadamente los siguientes adjetivos, cuyo significado habrás buscado previamente en el diccionario:**

1. .... férreo.
   .... ferruginoso.
2. .... plúmbeo.
   .... plomizo.
3. .... infantil.
   .... pueril.
4. .... banquero.
   .... bancario.
5. .... viejo.
   .... antiguo.
6. .... barcelonés.
   .... barcelonista.

7.13. **Los gentilicios son un tipo característico de adjetivos relacionales que señalan que alguien o algo es natural de un determinado lugar (por ejemplo, madrileño es 'natural de Madrid'). Averigua el lugar con el que se relacionan los siguientes gentilicios:**

1. carioca ....
2. charrúa.........................
3. alcarreño ....
4. lucense.........................
5. ibicenco ....
6. manchego ....
7. onubense.......................
8. gaditano.........................
9. abulense.........................
10. porteño ....
11. mirobrigense...................
12. charro ....
13. brigantino ....
14. baturro ....

7.14. **Ciertos nombres próximos a los adjetivos que señalan cualidades negativas, muy utilizados como insultos, pueden llevar delante *un poco (Es un poco imbécil)*. La tarea es elaborar una colección de ellos. Y después pensar qué aporta esa locución *un poco*. ¿Comunican lo mismo *María es un poco tonta* que *María es poco tonta*? Si fueras tú María, ¿qué preferirías que te dijeran?**

7.15. **La coherencia es una exigencia de todo buen texto, por la que este se siente como una unidad cuyas partes están relacionadas de acuerdo con un fin común. La coherencia depende de dos cosas: de nuestra mente y de nuestros conocimientos lingüísticos. Nuestra mente debe tener algo que decir, y libertad, claridad y lógica para hacerlo. Por otro lado, el hablante ha de dominar las herramientas y recursos que la lengua ofrece para esa tarea.**

De acuerdo con tales requisitos, construye un texto sobre la fiabilidad de las relaciones afectivas establecidas a través de Internet (o sobre cualquier otro tema). Para ello, tienes que utilizar estos recursos:

***el problema es que* • *consecuentemente* • *no obstante* •**
a pesar de ello* • *por lo tanto* • *desde hace tiempo.

No podrás emplear a la hora de relacionar los distintos enunciados: *y, ni, pero.*

Claves

Unidad 7: El medio ambiente

7.1. Este es el resultado de la refundición de las dos parejas de oraciones. Como ves, la segunda aparición del nombre es sustituida por un relativo:

1. Compré un coche **que** habían fabricado en Japón.
2. Viajé a Italia, **donde** me esperaban unos amigos.
3. Ese señor **cuyo** hijo estudió conmigo se llama D. Pablo.
4. Esa chica con la **que** el otro día me viste hablando trabaja en mi empresa.
5. Me puse el sábado un traje gris **que** me regalaron el día de mi cumpleaños.

Dependiendo de cómo quieras representar los hechos, la refundición puede dar otros resultados, aunque siempre en todos ellos el nombre repetido es sustituido en una de sus dos presencias por un relativo:

1. Habían fabricado en Japón el coche **que** compré.
2. Me esperaban unos amigos en Italia **adonde** viajé.
3. El hijo de ese señor **que** se llama D. Pablo estudió conmigo (aquí hay que tener cuidado porque la oración es ambigua).
4. Me viste hablando el otro día con esa chica **que** trabaja en mi empresa.
5. Me regalaron el día de mi cumpleaños un traje gris **que** me puse el sábado.

7.2. El ejercicio era realmente fácil. Todas las oraciones entre comas son explicativas; las otras, especificativas. Lo interesante es que veas que en las explicativas existe un referente concreto (compartido por hablante y oyente), representado por el antecedente, del que se destaca una cualidad.

En la segunda parte del ejercicio, se pide que se reconstruyan los contextos de los ejemplos examinados:

1. y **2.** *La película a la que fue Sofía era del Oeste* se ha dicho ante un oyente que sabe que Sofía ha ido a una película dentro del gran conjunto de todas ellas; con esta información ya puede aislarla de todas las demás. En cambio, en *La película, a la que fue Sofía, era del Oeste,* ya se supone que no aparece en la mente del oyente tal conjunto, solo esta película específica, de la que se recuerda la asistencia a ella de Sofía.

3. y **4.** *Las películas, que le gustan a Sofía, son del Oeste* manifiesta que las películas que son del Oeste (no se consideran otras) sin distinción le gustan a Sofía. *Las películas que le gustan a Sofía son del Oeste* muestra que en la cabeza del hablante está todo tipo de película, por lo que le comunica al destinatario que las que le gustan a Sofía son solo unas determinadas: las del Oeste.

5. Evidentemente, en *Las películas que ve siempre son del Oeste* se busca determinar la clase de película que ve siempre porque se podía pensar en cualquier otra.

6. El hablante al emitir: *John Wayne, a quien viste en* Centauros del desierto, *era el actor favorito de John Ford,* le recuerda a su oyente dónde vio a John Wayne (único actor con ese nombre), permitiéndole así identificarlo mejor, para luego proporcionarle una información nueva. Cuando decimos que con la oración explicativa el destinatario del mensaje podrá identificar mejor a John Wayne, no se trata de que exista más de un actor con este nombre sino que con esta información el oyente sabrá mejor de quién está hablándose.

7. Con *El futbolista, de quien era ese deportivo, fue multado por exceso de velocidad,* hablante y oyente tienen solo en la mente a un único futbolista. Ya te imaginarás que la eliminación de las comas transmitiría una información bastante diferente.

7.3. Rellenamos los huecos:

1. No he encontrado a nadie que **sepa** tanto como Miriam. El subjuntivo se explica por el carácter negado (en consecuencia, inexistente) del antecedente del relativo.

2. El que mal **anda**, mal acaba. En esta frase hecha el indicativo aparece por el carácter real, aunque genérico, comprobado por la costumbre del antecedente.

3., **6.** y **8.** ¿Tiene algo que **declarar**? El infinitivo aparece en estas oraciones cuando el antecedente se refiere a una realidad disponible, aunque no necesariamente presente *(Siempre he tenido cosas por las que luchar).* Si te fijas, estas oraciones se parecen algo a las finales *(¿Tiene algo para declarar?).* Esta explicación es válida para *Cuando llega una fiesta, no tiene nada que* ***ponerse*** y *Tengo pocos amigos en quienes* ***confiar***.

4. Esta es la mejor película que **echan** hoy en la tele. El antecedente posee un carácter real y específico, lo que justifica la presencia del subjuntivo.

5. Este es el mejor libro que jamás **he/haya** leído. Aquí se da la doble elección. El indicativo se explica porque el hablante está refiriéndose a un libro concreto. El subjuntivo vendría inducido por el carácter negativo del adverbio *jamás*, aquí el hablante niega la posibilidad de libros mejores que este.

7. **Haga** lo que **haga**, tú no te muevas. Estamos ante un ejemplo de esas construcciones concesivas llamadas reduplicativas *(Sea quien sea, no abras).* El subjuntivo se justifica por el carácter posible, no real, del antecedente.

9. Cualquiera que **crea/creyera/haya creído** eso, es un ignorante. En este caso vuelve a poder aparecer solo el subjuntivo inducido por la indeterminación del antecedente, que aparece como una simple posibilidad. La elección entre el presente y el imperfecto tiene que ver con el grado de posibilidad de que ese antecedente exista. **Haya creído** se encuentra cuando la posibilidad de ese antecedente pertenece al pasado.

7.4. Así quedaría el ejercicio con los huecos rellenos:

1. Todos **cuantos/los que/quienes** vinieron a la fiesta eran amigos del novio. En ninguna de las tres posibilidades se identifica el antecedente del relativo. *Cuantos* se utiliza para indicar la cantidad imprecisa de los que asistieron. *Que* aparece necesariamente con el artículo dada la ausencia del antecedente. *Quienes* es posible también porque ese antecedente del que tenemos tan poca información es humano.
2. **Quien/el que** con niños se acuesta, mojado se levanta. Ya sabemos que *quien* necesita antecedentes humanos, lo que ocurre aquí, una conocida frase hecha que cuenta con otras variantes. *El que* aparece porque el antecedente está oculto.
3. La obra **cuyo** autor era el mismo Cervantes se titulaba *Numancia*. El determinante relativo *cuyo* es la única posibilidad para marcar la relación de posesión entre la obra y su autor, Cervantes (la obra del autor). Como se dice en el Libro del alumno (3.3.2., pág. 134), *cuyo* es propio del registro culto, en la lengua vulgar a menudo se sustituye por la combinación *que su.*
4. Huyó como alma **que/a la que** lleva el diablo. Esta también es una frase hecha. Cuando la función que desempeña el relativo en su oración exige preposición, este la ha de llevar. Este es el caso aquí, donde el relativo funciona como complemento directo de persona. Sin embargo, es posible en este ejemplo escoger entre la ausencia o la presencia de *a*. El criterio para decidir se encuentra en el hablante, en que este piense en *alma* como una persona determinada o no. Si el hablante opta por entenderla así, aparece *a* y, como consecuencia necesaria de ello, el artículo junto al relativo. No sería posible **Huyó como alma a que lleva el diablo.* La clave de esta necesidad del artículo es el carácter determinado del antecedente *alma*.
5. Se enzarzaron en una pelea, **lo que** fue muy desagradable. *Lo que* es la combinación que aparece en estos casos en que el antecedente no es una entidad individual, sino la oración precedente.
6. Viajó **a donde** le habían dicho que encontraría trabajo. *A donde* se justifica porque el antecedente oculto remite a un lugar hacia el que se encamina la acción del sujeto. Fíjate en la ortografía *a donde*, con las dos palabras separadas. Es por el carácter oculto del antecedente.
7. A mí, **que/quien** siempre la he ayudado, me ha insultado también. Pueden aparecer los dos, aunque *quien* resulta algo forzado al funcionar como sujeto en su oración.

7.5. No parece tampoco este un ejercicio difícil, pero ha sido útil para mejorar nuestra comprensión de estas oraciones. Respecto a la preposición que en algún caso acompaña al relativo, esta se explica por la función de este en su oración o por la propia función de la oración que exige la preposición:

1. Me disgusta que las chicas que vienen con nosotros sean tan poco serias. → El antecedente de *que* son *las chicas.*
2. Está arreglando un ordenador cuyo dueño es ese señor que ves ahí. → El antecedente de *cuyo* es el *ordenador*.
3. Le robaron el coche el otro día, de donde le ha venido un gran disgusto. → El antecedente de *donde* es toda la oración anterior. La preposición *de* se explica por la función del relativo de complemento de origen regido por el verbo *venir*.
4. ¿No hay nadie de la que puedas fiarte? → El antecedente es el pronombre indefinido *nadie,* que no tiene variación de género, por lo que puede referirse a una persona masculina o femenina. Equivale a *ninguna*

persona, de ahí el artículo *la* que se une al relativo. En efecto, la preposición *de* se justifica por la función de complemento regido del relativo *la que* en la oración subordinada (*No hay nadie + no me fío de nadie*).

5. Estoy pensando en el problema del que te hablé. → El antecedente de *que* en esta oración ambigua puede ser *el problema* o un antecedente oculto que podría ser *el chico* (*El problema [del chico] del que te hablé*). En el primer caso, la preposición *de[l]* se explica por la función de complemento regido del relativo. En el segundo, la explicación es más compleja, pero parece que se encuentra en que el nombre elíptico actúa como complemento de *problema*.

6. Estaba en el hospital muy enfermo, lo cual era muy triste. → El antecedente de *lo cual* es toda la oración precedente.

7. No fueron hacia donde se encontraban todos. → El antecedente de *donde* es un nombre de lugar omitido. *Hacia* se explica porque introduce un complemento de dirección regido por *fueron*.

7.6. *Como* exige antecedentes generalmente omitidos que contienen una relación modal: *Lo hizo [del modo] como lo hacían*. Si es comparativo, su antecedente está necesariamente cuantificado: *Trabajó tanto como su amigo*. *Cuando* tiene antecedentes temporales, omitidos también habitualmente: *Llegó [en ese momento] cuando todos se habían marchado*. *Donde* admite mucho mejor la presencia explícita de su antecedente, siempre relacionado con lugares: *Se va de vacaciones a la montaña, donde tiene un chalé*. Finalmente, *cuyo* expresa una relación asimilable a la que establece la preposición *de* entre dos nombres y que suele entenderse como de posesión:

1. No han encontrado nada **donde** vivían aquellos traficantes.
2. Mi vida va **como** un barco a la deriva.
3. Casualmente llegó **cuando** no había nadie.
4. Ese es Javier, el profesor a **cuyos** alumnos di una clase de fonética.

7.7. He aquí las correspondencias:

1. Le divierte que echen esas películas los sábados por la tarde.
2. Vio que las calles estaban muy sucias.
3. Me fastidia que ponga siempre esa mala cara.
4. No han descubierto que quiera ir nadie.

Sobre las diferencias entre ambas estructuras, las relativas poseen un carácter enfático del que carecen las sustantivas. En las relativas se destaca el constituyente que funciona como antecedente gracias a su posición y al determinante (inexistente en el caso lógico de *nadie*).

7.8. Establecemos las relaciones:

1. Cordero → Inocencia e indefensión. Es uno de los símbolos más claros de la *Biblia*.

2. y **4.** Lirón, marmota → Dormir mucho y muy bien. De ahí las frases hechas *Dormir como {un lirón, una marmota}*.

3. Toro → Fortaleza (*Estar como un toro*), bravura y nobleza. En la poesía de Miguel Hernández esta asociación es muy clara.

5. Loro → Fealdad (generalmente de una mujer con nariz prominente); más raramente, persona charlatana (generalmente también mujer).

6. Buitre → Egoísmo, sacar ventaja, ir siempre a lo suyo; persona que se aprovecha de aquellos que se encuentran en dificultades.

7. Tortuga → Lentitud.

8. Víbora → Maldad manifestada básicamente en las palabras que se emplean para hacer daño. Hay una frase hecha relacionada con esta conducta: *Si se muerde la lengua, se envenena*.

9. Cangrejo → Empeorar en vez de mejorar en algo (*Vas hacia atrás como los cangrejos*).

10. Tiburón → En la jerga de los ejecutivos o de las relaciones internacionales, ambición e imposición de los intereses propios sin escrúpulos. Suele emplearse en este contexto en plural.

11. y **13.** Foca, vaca → Gordura excesiva (generalmente aplicada a mujeres, *Está hecha una foca/vaca*). Vaca aparece en alguna frase hecha referida a la pesadez a la hora de hablar (*Es más pesado que una vaca [en brazos]*).

12. Mosca → Pesadez por insistencia en un comportamiento o un tema de conversación.

7.9. Si hiciste bien el ejercicio anterior, con este no habrás tenido problemas:

1. Está hecha una **foca/vaca** de gorda.
2. Es más pesado que una **vaca** en brazos.
3. Es más lento que una **tortuga**.
4. Ese alumno es una **mosca** cojonera: está todo el día incordiando.
5. Duerme como una **marmota** y como un **lirón**, los dos juntos.
6. Vas para atrás, como los **cangrejos**.
7. Su novia no es muy guapa, pero tampoco es un **loro**.
8. En esa pobre población fueron exterminados como **corderos** que van al matadero.
9. Siempre quiere quedarse con todo, ten cuidado con él que es un **buitre**.

10. Está hecho un **toro**, de lo fuerte que está.
11. Ten cuidado con su lengua, es una **víbora**.
12. Las negociaciones entre los países de la UE son entre **tiburones**.

7.10. En *Se compró un automóvil azul*, el adjetivo es especificativo, pues se distingue por su color el automóvil comprado, de los que tienen otro color. En *Me encantan sus ojos azules*, ya no puede pensarse en que *azul* sea especificativo puesto que las personas tienen solo dos ojos y normalmente del mismo color. Aquí solo se realza esta propiedad sin ningún ánimo distinguidor. Para concluir, con el *Nilo azul*, el adjetivo de color vuelve a especificar, en este caso para diferenciar este tramo del río Nilo de otros tramos, distinguidos con otros colores.

7.11. Cupríneo (cobre), culinario (cocina), digital (dedo y, por relación indirecta, por un sistema de análisis y computación caracterizado por manejar unidades discretas, seriales. En España, puede aparecer con un sentido irónico para referirse a la obtención de un puesto por favoritismo de la autoridad), vírica (virus), plúmbeo (plomo), ebúrneo (marfil), eólico (dios Eolo, y por tanto con el viento), colombino (Cristóbal Colón) y fiscal (el fisco, esto es, la Hacienda Pública. También se relaciona con el homónimo *fiscal*, nombre del 'representante del Estado en los tribunales penales de justicia').

7.12. Ponemos el ejemplo y entre paréntesis junto al adjetivo su significado, en el que es clave el significado del nombre del que procede.

1. Una defensa **férrea** (de hierro, metafóricamente. En latín, hierro es *ferrum*).
   Aguas **ferruginosas** (que contienen hierro).
2. Un discurso **plúmbeo** (con propiedades del plomo, sobre todo y metafóricamente, su pesadez. En latín, plomo es *plumbeum*).
   Una tarde **plomiza** (con propiedades del plomo, sobre todo, su color gris).
3. Un coro **infantil** (formado por niños. Una manera de nombrar a los niños en latín era con *infans*).
   Una conducta **pueril** (propia de niños, pero aquí la referencia es negativa, pues apunta críticamente al desajuste entre el comportamiento infantil de una persona y su edad adulta).
4. Es un famoso **banquero** (este adjetivo derivado de banco 'establecimiento público de crédito' se ha sustantivado para designar a los presidentes y altos directivos de estos).
   Trabaja de **bancario** (también estamos ante una sustantivación de un adjetivo derivado de banco, que apunta a veces humorísticamente a los trabajadores de los bancos).
5. Un mueble **viejo.**
   Un mueble **antiguo** (ambos adjetivos pueden intercambiarse, pero normalmente el adjetivo *viejo* posee una carga más negativa que *antiguo*, que puede aludir a algo con muchos años, pero con la nobleza de aquello que atesora una calidad. En todo caso, **antiguo** implica perteneciente a una época pasada, de ahí su relación con *anticuado*).
6. Un barrio **barcelonés** (relativo a Barcelona).
   Los aficionados **barcelonistas** (relativo al club de fútbol Barcelona. Un sinónimo más popular es *culé*).

7.13. Vayamos con los gentilicios:

1. Carioca (de la ciudad de Río de Janeiro, a menudo se emplea abusivamente para designar a todos los brasileños).
2. Charrúa (uruguayo, por el nombre de una antigua tribu india autóctona).
3. Alcarreño (de la Alcarria, comarca española que cubre una parte importante de la provincia de Guadalajara y algo de la de Cuenca. Por esto, *alcarreño* se usa a menudo para denominar a los naturales de Guadalajara).
4. Lucense (de Lugo).
5. Ibicenco (de Ibiza).
6. Manchego (de La Mancha, vasta comarca que se extiende por Toledo, Ciudad Real, Cuenca y Albacete).
7. Onubense (de Huelva).
8. Gaditano (de Cádiz).
9. Abulense (de Ávila).
10. Porteño (de Buenos Aires y de la española Puerto de Santa María).
11. Mirobrigense (de la ciudad salmantina de Ciudad Rodrigo, la antigua Miróbriga).
12. Charro (denominación popular de mexicanos y salmantinos, que propiamente tiene un sentido más restringido).
13. Brigantino (de La Coruña, por su nombre antiguo de *Brigantium*).
14. Baturro (denominación popular y a veces poco respetuosa de los naturales de Aragón, conocidos también popularmente como mañicos).

7.14. El trabajo es sencillo: se trata de insertar en la construcción X es *un poco* + NOMBRE QUE ENCIERRA UNA CUALIDAD NEGATIVA. Por ejemplo: *Es un poco {imbécil, miserable, avaricioso, gilipollas, cabrón...}* (las dos últimas son vulgares). Conviene fijarse en que se trata de un insulto referido a una tercera persona, que puede convertirse en uno dirigido al interlocutor, sin la posibilidad de una entonación exclamativa tan rotunda como en el insulto simple *(¡Eres un poco imbécil!, ¡¡Imbécil!!).*

También es importante saber que esta construcción con *un poco* es inicialmente extraña con insultos mayores: *Es un poco hijo de...* Este último dato ayuda en la pregunta que formulábamos sobre lo que comunica *María es un poco tonta.* En este enunciado se admite que María es tonta, pero no en un grado muy alto (gracias a la suavización de *un poco*). Tal formulación supone a menudo cierta ironía y superioridad. En cualquier caso siempre se trata de una expresión ofensiva.

En cambio, *María es poco tonta* ya no es un insulto. Partiendo del supuesto de que nadie es completamente listo, decir de alguien que *es poco tonto* es concederle una elevada dosis de inteligencia.

Naturalmente, y siempre en principio (el contexto puede dar lugar a deducciones muy alejadas del contenido literal), es mejor que digan de uno que *es poco tonto* que *es un poco tonto.*

7.15. Esta es nuestra propuesta:

Desde hace tiempo, como consecuencia de los cambios producidos destructores de muchos viejos lazos sociales y familiares, la vida de muchas personas está marcada por un individualismo y, *consecuentemente*, una gran soledad. Para combatirla muchas personas se refugian en la comunicación anónima y sin compromiso que ofrece Internet. *El problema es que, a pesar de ello,* las personas se atan (la necesidad es muy fuerte) y se atan no a personas reales, sino a idealizaciones a veces muy alejadas de la realidad. *Por lo tanto,* acogemos las posibilidades que encierra Internet, sin que ello, *no obstante,* suponga olvidar la antinaturalidad y el falseamiento que siempre acecha a las relaciones a que da lugar.

Unidad 8: La conquista

El discurso referido

8.1. **Pasar del estilo directo al indirecto supone unas transformaciones gramaticales debidas a que cambian el emisor y sus circunstancias. Ejemplos:**

- Me repite a menudo: "Eres un ingenuo" ➜ Me repite a menudo que soy un ingenuo.
- Aseguró solemnemente: "Ayer entregué el trabajo a mi profesor" ➜ Aseguró solemnemente que el día anterior había entregado el trabajo a su profesor.

Completa los siguientes ejemplos de estilo indirecto a la vista del discurso directo en que se basan:

1. Le oí decir el mes pasado, textualmente: "Mañana, Dios mediante, dejo de fumar" ➜ Le oí decir el mes pasado que .... de fumar.
2. "Hace poco –contó– me han llamado para ofrecerme un trabajo" ➜ Contó que .... poco .... llamado para ofrecer .... un trabajo.
3. "Hoy la llamo sin falta", nos aseguró el 6 de julio pasado ➜ Nos aseguró el 6 de julio pasado que .... sin falta a su madre.
4. El telegrama decía: "Dentro de una semana llegaré a mi querido pueblo" ➜ El telegrama decía que al cabo de una semana .... a .... pueblo querido.

8.2. **En el estilo indirecto puede percibirse alguna diferencia entre el pretérito indefinido y el imperfecto. Obsérvala en estos enunciados:**

1. Me dijo que {planeó/planeaba} un viaje.
2. Me enteré por él que {se encontró/se encontraba} enfermo.

¿Se mantiene la diferencia en estos otros dos casos?

3. Se hizo cargo del niño mientras su madre {estuvo/estaba} en la fiesta.
4. La insultó, pero al momento le {pidió/pedía} perdón.

8.3. **Observa el siguiente ejemplo en el que una cita se emplea para comunicar una opinión (implícita o explícita):**

Cita: "El no querer es la causa; el no poder, el pretexto" (Séneca).
Contexto: Conversación entre jefe y empleado.

Jefe: Arranz, esta semana necesito que se quede usted un día a trabajar tres horas extras por la tarde, ¿le parece bien el martes?
Empleado: Verá, jefe, es que el martes tengo que ir al médico.
Jefe: *Entonces*, ¿el miércoles?
Empleado: Lo siento, señor Álvarez, pero el miércoles mi mujer no estará en casa y tengo que encargarme de los niños.
Jefe: Bueno, ¿qué le parece el lunes o el jueves?
Empleado: *La verdad es que* esos días también tengo cosas que hacer...
Jefe: Ya veo. Como dijo Séneca: "El no querer es la causa; el no poder, el pretexto".

De acuerdo con este modelo, inventa una situación en la que puedas emplear las siguientes citas para justificar una determinada opinión. Introdúcelas correctamente mediante las fórmulas que ya conoces (Libro del alumno, págs. 153-154).

1. El pato es feliz en su sucio charco porque no conoce el mar" (Antoine de Saint-Exupéry).
2. "Encuentro la televisión muy educativa. Cada vez que alguien la enciende, me retiro a otra habitación y leo un libro" (Groucho Marx).

3. "Abandonarse al dolor sin resistir es abandonar el campo de batalla sin haber luchado" (Napoleón Bonaparte).
4. "Hay que tener cuidado con los libros de salud, podemos morir un día por culpa de una errata" (Mark Twain).
5. "Vivir sola es como estar en una fiesta donde nadie te hace caso" (Marilyn Monroe).

8.4. **Existen en la lengua numerosos verbos que especifican la acción de hablar o de decir algo. Así *revelar* (la acción posterior a poner un velo, que es quitarlo) es hablar de algo que estaba oculto con la intención de darlo a conocer. Estos verbos sirven para ser más preciso a la hora de referir palabras ajenas: *Me reveló que no iban a hacerlo.***
Con esta información, construye ejemplos de estilo indirecto con estos verbos, cuyo significado habrás buscado antes en el diccionario:

1. Explicó que...
2. Pronosticó que...
3. Denunció que...
4. Propagó que...
5. Insinuó que...
6. Musitó que...
7. Murmuró que...
8. Aseveró que...
9. Recalcó que...
10. Confirmó que...

8.5. **Para hacer más ligero, elegante y preciso el estilo, sustituye el verbo *decir* en todos estos ejemplos por alguno de estos otros verbos *(ilustrar, sostener, desvelar, afirmar, declarar, defender, revelar...)* o expresiones *(salió con que...)*, sin que se repita ninguno. En los casos en que sea posible más de una respuesta, justifica tu decisión:**

1. Ante el tribunal, dijo que él estuvo toda la tarde en su casa leyendo.
2. Dijo, en contra de la opinión de los demás, que esa decisión era injusta.
3. Dijo con seguridad que el español se hablaba mayoritariamente en América.
4. Ese autor dice que existen muchas metáforas en la lengua ordinaria.
5. Esa profesora dijo con muchos ejemplos la teoría del cambio filosófico.
6. Cervantes dijo que cada uno es hijo de sus obras.
7. A pesar de todas las evidencias en contra, Sofía dijo que ella creía en su inocencia.
8. Pedro dijo que Jaime era adoptado.

8.6. **Existen determinados adverbios y locuciones adverbiales que sirven para calificar un verbo de 'decir':**

- *A menudo, raras veces, de vez en cuando, por última vez, continuamente, una y otra vez...*
- *Susurrando, con un hilo de voz, con todas sus fuerzas, con aplomo, irónicamente, tímidamente...*

Rellena los siguientes huecos con alguno de los adverbios y locuciones adverbiales de estas dos listas:

1. .... reconoce su culpa.
2. Gritó .... pidiendo socorro.
3. La joven preguntó .... por el baño.
4. Te repito .... que no vuelvas a llegar tan tarde.
5. El herido, ..., dijo dónde había sido el golpe.
6. ...., se pone a cantar tangos con su guitarra.

8.7. **Vamos a imaginar varias situaciones comunicativas. Estás charlando con unos amigos y te acuerdas de repente de algo. Introduce esa digresión utilizando estas expresiones (la primera ha de aparecer junto a la segunda):**

1. *Oye, por cierto, ¡ay, que se me pasaba!*

Ahora, has llamado por teléfono a un organismo oficial y, después de saludar, quieres exponer tu caso. Puedes emplear estas fórmulas para hacerlo (es posible combinar alguna de ellas):

2. *Vamos a ver, perdone, se trata de que, la cuestión es que, los llamaba porque, es que...*

Finalmente, tras escuchar el relato de un amigo, elige alguno de estos modos para intervenir:

3. *¿Ah, sí?, ¿y eso? Ya ves, cosas que pasan, la vida...*

Seguro que percibes que no comunican lo mismo.

Este ejercicio no está pensado solo para que las respuestas se escriban, sino para que también se improvisen oralmente.

8.8. **En la lengua coloquial existen frases hechas empleadas para criticar y desautorizar las palabras de alguien:**

Va y dice... • *me soltó que...* • *...que si patatín, que si patatán* • *a otro perro con ese hueso* • *¿me lo dices o me lo cuentas?*

Escoge la frase adecuada para rellenar los siguientes huecos:

1. Entonces me vino el jefe y me dijo que tenía que venir antes, ...
2. De repente Ruth .... que no quiere ir a la fiesta.
3. Cuando menos me esperaba, Noelia .... que se iba del grupo.
4. A: –Perdona el retraso, estaba el tráfico fatal. B: –..
5. A: –Déjame diez euros, es que no funcionaba el cajero. B: –..

8.9. **Observa las siguientes transformaciones introducidas en unas palabras dichas anteriormente al referirlas otra persona. Fíjate especialmente en el efecto producido por la introducción del adverbio *ahora* en cada uno de los ejemplos.**

1. Julio: "Voy a dejar de fumar".
"*Ahora* Julio dice que va a dejar de fumar".
"Julio dice que va a dejar de fumar *ahora*".

¿Cuál de los enunciados refleja mejor que el hablante no cree que Julio vaya a dejar de fumar?

2. Alfonso: "No tengo dinero".
"Alfonso me ha confesado, *ahora*, que no tiene dinero".
"Alfonso me ha confesado que no tiene dinero *ahora*".

¿Cuál de los dos enunciados sería el más apropiado para mostrar enfado?

3. Él: "Quiero buscar trabajo".
"Dice que quiere buscar trabajo *ahora*".
"Dice que quiere buscar trabajo, *ahora*".

¿Tiene el adverbio el mismo significado temporal en los dos casos?

4. Fernando: "¿Nos vamos de compras?".
Marta: "No, voy a estudiar".
Fernando: "*Ahora* Marta dice que va a estudiar".
"Marta dice que *ahora* va a estudiar".

¿Alguno de los enunciados podría expresar ironía al encerrar una crítica porque Marta ha cambiado de opinión y ya no quiere salir de compras?

5. El niño: "No tengo hambre".
"El niño dice que no tiene hambre *ahora*".
"*Ahora* el niño dice que no tiene hambre".

¿En cuál de los dos enunciados la colocación del adverbio provoca que el sintagma "el niño" no tenga un sentido cariñoso? Piensa si ese efecto crítico se acentuaría de aparecer el *niñito* en lugar de el *niño*.

8.10. Lee el siguiente fragmento de un artículo:

Las "putas tristes[1]" de Fidel

Entre los defectos de Fidel Castro no figura la disimulación. En los 45 años que lleva en el poder –la dictadura más larga en la historia de América Latina– nunca ha pretendido engañar a nadie sobre la naturaleza de su régimen ni sobre los principios en que se funda su manera de gobernar.

El dictador manifiesta que Cuba vive bajo un sistema "comunista" (son sus palabras), que, según él, es más justo, más igualitario y más libre que las putrefactas democracias capitalistas. El comandante afirma siempre en todos sus cacofónicos discursos que estas democracias le merecen desprecio y que acabarán por hundirse bajo el peso de su corrupción y sus contradicciones internas. Es posible que Castro sea la única persona en Cuba que todavía crea esas sandeces, pero, sin duda, se las cree. El Jefe Máximo ha hecho saber hasta la saciedad que como el régimen comunista cubano es superior a las democracias occidentales no va a cometer la debilidad de acceder a lo que le piden sus enemigos con el único objetivo de destruirle; es decir, no va a admitir elecciones libres, libertad de expresión, de movimiento, alternancia en el poder, etc.

¿Para qué convocaría elecciones libres un gobierno que cuenta con el 99,9% de la población? De acuerdo con Castro, quienes piden semejantes cambios son, pura y simplemente, enemigos de la revolución, agentes del imperialismo, y deben ser tratados como delincuentes y traidores a su patria.

Mario Vargas Llosa, en el periódico *El País*.

Después de leer el fragmento, responde a las siguientes preguntas.

a. **En el texto, Vargas Llosa se refiere a unas palabras dichas por Fidel Castro, imaginamos que en algún discurso. ¿Cómo lo hace?, ¿las cita objetiva o subjetivamente?**
b. **¿Qué expresiones emplea para nombrar a Fidel?**
c. **Después de contestar a estas dos preguntas, seguro que podrás responder a esta otra: ¿Le es simpático al autor Castro?**
d. **¿Has pensado alguna vez por qué la gente suele preferir que se le llame por el nombre en vez de por el apellido? Podrías escribir una breve reflexión (seis líneas máximo sobre esta cuestión).**

8.11. Lee con atención el siguiente texto y contesta las siguientes preguntas:

La mujer árbol

Wangari Maathai tiene 64 años y ha conseguido el Premio Nobel de la Paz 2004. Bióloga, ministra, una de las primeras mujeres africanas en conseguir un doctorado, es, sobre todo, la creadora del Movimiento Cinturón Verde, de Kenia, que busca la reforestación del país y dar un trabajo digno a 50 000 mujeres. Esta es su historia de pasión y lucha.

El juez tenía razón. Wangari Maathai era en 1980 "cabezota, triunfadora, con mucho nivel educativo, demasiado fuerte y muy difícil de controlar". Todavía hoy lo es. Y si no lo hubiera sido, no habría osado rebatir al magistrado y hacerle notar que era un disparate emplear estos argumentos para conceder un divorcio: "Si ha llegado a esa conclusión es porque es usted un corrupto o un incompetente". Le mandó a la cárcel, claro. Por desacato. No fue la última vez que acabó entre rejas. En los últimos 25 años, Maathai ha contribuido a plantar 20 millones de árboles en Kenia y a generar ingresos para 50 000 mujeres pobres, pero también se ha enfrentado al poder y a la policía, y ha sido golpeada y detenida.

"Obstáculos en el camino". Así es como esta mujer de piel negra, negrísima, imposiblemente joven para sus 64 años, llama a las dificultades que ha ido encontrando en su recorrido.

---

[1] El título del artículo está directamente tomado de la reciente novela del novelista colombiano G. García Márquez, *Memoria de mis putas tristes*. Con este guiño, Vargas Llosa alude a los partidarios de Fidel Castro, entre los que ocupa un papel muy sobresaliente García Márquez.

"Todavía me estoy pellizcando tratando de convencerme de que es verdad y que me han concedido a mí el Premio Nobel. En los años setenta, cuando estaba enseñando anatomía, la última cosa que estaba en mi mente era el medio ambiente; tampoco me desperté un día y decidí hacerme activista, fue algo que surgió naturalmente". Digamos que... una cosa llevó a la otra. Eso explica que en la maleta vindicativa de Maathai se fueran incorporando la protección del medio ambiente, los derechos de las mujeres, la lucha contra la pobreza, la exigencia de democracia y la promoción de la paz, para, desde entonces, viajar inevitablemente juntas y revueltas.

Maathai se licenció en biología en Estados Unidos y fue contratada como profesora por la Universidad de Nairobi. Allí se convirtió en la primera mujer de África Oriental en obtener un doctorado y en dirigir un departamento universitario. Se unió a un grupo para combatir la desigualdad de trato y salario entre profesores y profesoras, y comenzó su actividad en el Consejo Nacional de Mujeres. Con el movimiento feminista en plena ebullición, y preparando la Conferencia Internacional de la Mujer de México (1975), Maathai pasó mucho tiempo discutiendo y escuchando las frustraciones de las mujeres. "Hablaban de cosas que yo vi que estaban relacionadas: inseguridad alimentaria, malnutrición; falta de agua, de leña y de ingresos. Les dije: si no tenéis leña, plantad árboles. 'Eso es el trabajo del guarda forestal', afirmaban. Y yo repuse que el guarda debía plantar en los bosques y terrenos públicos, pero ellas podían hacerlo en sus parcelas".

El Movimiento Cinturón Verde (MVC) surgió así, en 1977, como una plataforma para crear grupos de mujeres que formasen y **gestionasen** viveros de semillas y plantaran los árboles en sus pequeñas huertas, dibujando un cinturón alrededor de ellas. "Los árboles son símbolos de esperanza, un medio para conseguir varios fines: leña, en un país pobre donde ésta es la principal fuente de energía para cocinar y calentarse; lluvia, atraída por los árboles, que riegue los campos; comida, nacida de los campos regados; agua para beber, provista por la lluvia. De paso, luchas contra la erosión del suelo, sensibilizas a la población sobre la necesidad de cuidar el medio ambiente, proporcionas **ingresos** a las mujeres y les devuelves una imagen positiva de sí mismas y de sus capacidades. No está mal. Para un árbol".

A finales de los años ochenta había 600 viveros **operativos** y más de 3000 mujeres implicadas. Hoy son 6000 los grupos que trabajan con el MVC, 3000 los viveros y 35 000 las mujeres que los cuidan y se benefician de ellos. "Además, insisto en que muchos conflictos se libran por los recursos naturales, de modo que al trabajar por el **desarrollo sostenible** se trabaja por la paz, al tratar de eliminar la causa de los **conflictos**".

El País Semanal

a. **¿En qué ha sido la protagonista del artículo la primera mujer de África Oriental?**
b. **¿Qué es el MVC? ¿A qué responden estas siglas en español: CAMPSA, SEAT, ONU, OTAN, RENFE?**
c. **Busca en el texto los ejemplos de estilo directo que aparecen e indica quién es su emisor.**
d. **Define, teniendo en cuenta su contexto, las palabras y expresiones que aparecen subrayadas.**

Claves

Unidad 8: La conquista

8.1. En efecto, el paso del estilo directo a indirecto supone cambiar el sistema de referencias (personas, tiempo y lugar) del mensaje que se reproduce por el que depende del nuevo hablante, en cuyo mensaje se acoge el mensaje reproducido:

1. Le oí decir el mes pasado que **con la ayuda de Dios dejaba** de fumar **al día siguiente**.
2. Contó que **hacía** poco **le habían** llamado para ofrecer**le** un trabajo.
3. Nos aseguró el 6 de julio pasado que **ese mismo día llamaba** sin falta a su madre.
4. El telegrama decía que al cabo de una semana **llegaría** a **su** pueblo querido.

8.2. En la primera pareja, el imperfecto señala una simultaneidad con su verbo principal; el indefinido, un hecho anterior. Esto sucede en este caso porque el indefinido, al indicar que el suceso o situación se ha completado, puede emplearse en lugar de los pretéritos pluscuamperfecto o anterior que se refieren a hechos anteriores a otros también anteriores.

En la segunda pareja de ejemplos, no sucede igual, e imperfecto e indefinido coinciden en el primer enunciado en expresar simultaneidad con el otro hecho; y, en el segundo, en señalar que es posterior. La clave está en el conector temporal *mientras*, en el primer ejemplo; y en el segundo en el carácter coordinado de la oración y en la locución adverbial *al momento*. Todos estos factores imponen, respectivamente, las interpretaciones de simultaneidad y posterioridad, dentro del pasado.

8.3. La contestación encierra una dosis de libertad, por lo que la tuya no tiene por qué coincidir con estas:

1. Situación: Alguien justifica que haya personas de vacaciones en un precioso pueblo de montaña que pasen todo el día en el bar y por la noche en la discoteca:
Como dice Saint-Expupéry: "El pato es feliz en su sucio charco porque no conoce el mar".

2. Situación: Ante la crítica absolutamente negativa de la televisión por parte de alguien, otro irónicamente le responde:
No viene mal recordar lo que sostuvo Groucho Marx: "Encuentro la televisión muy educativa. Cada vez que alguien la enciende, me retiro a otra habitación y leo un libro".

3. Situación: Un compañero, ante un suspenso, quiere dejar el máster. Otro, en plan profundo, intenta disuadirlo:
Napoleón declaró en su momento: "Abandonarse al dolor sin resistir es abandonar el campo de batalla sin haber luchado".

4. Situación: Para aliviar la angustia de un pariente excesivamente aprensivo e hipocondríaco, un familiar intenta poner una nota de humor:
Según decía Mark Twain, "Hay que tener cuidado con los libros de salud, podemos morir un día por culpa de una errata".

5. Situación: Dos amigas, a quienes han dejado sus respectivos compañeros sentimentales, filosofan respecto a la soledad, y una concluye con una frase leída en una revista:
Marilyn dijo sobre la soledad lo siguiente: "Vivir sola es como estar en una fiesta donde nadie te hace caso".

8.4. Lo más interesante del ejercicio es que hayas empleado con propiedad estos verbos de lengua, que especifican el acto de decir y que sirven para calificar el mensaje reproducido.

1. *Explicó* ('Trató un asunto entrando en sus causas para facilitar la comprensión') *que la preposición* de *debía suprimirse delante de esa oración subordinada con* que.
2. *Pronosticó* ('Anunció, realizó una afirmación sobre el futuro, predijo') *que Eva y Ramón acabarían casándose.*
3. *Denunció* ('Dio a conocer una actividad inmoral/ilícita/destructiva/perjudicial') *que en ese bar de copas se traficaba con drogas.*
4. *Propagó* ('Extendió una información no necesariamente cierta entre la gente con alguna intencionalidad') *que las aguas del río estaban contaminadas.*
5. *Insinuó* ('Dio a entender sin declararlo del todo') *que podía cambiar pronto de empresa.*
6. *Musitó* ('Dijo sin que apenas se le escuchara, entre dientes, como susurrando') *que estaba arrepentido y que lo perdonara.*
7. *Murmuró* ('Quejarse de algo sin que apenas se le escuche') *que estaba harto de su jefe.*
8. *Aseveró* ('Comunicó solemnemente') que la falsificación *de un documento público por un funcionario se castigaba con cárcel.*
9. *Recalcó* ('Dejó muy claro, insistiendo en ello') *que la cita sería a las seis.*
10. *Confirmó* ('Aseguró la verdad de una información anterior') *que Pedro había salido ya.*

8.5. En este ejercicio se ha continuado, como habrás visto, con los posibles sustitutos de *decir*.

1. Ante el tribunal, **declaró** que él estuvo toda la tarde en su casa leyendo. (Podría haber aparecido otro verbo que indicara decir algo con una especial fuerza, dada la situación en que se produce. Se ha elegido *declarar* porque es habitual en estos contextos jurídicos).
2. **Sostuvo**, en contra de la opinión de los demás, que esa decisión era injusta. (También aquí se requiere un verbo que exprese firmeza para defender una posición polémica. Podría haber aparecido *afirmar*).
3. **Afirmó** con seguridad que el español se hablaba mayoritariamente en América. (*Afirmar* era ya el único verbo que quedaba para decir algo seguro. *Con seguridad* guía esta elección y la refuerza).
4. Ese autor **ha revelado** que existen muchas metáforas en la lengua ordinaria. (Si admitimos que mucha gente ignora este hecho, es lógico *revelar*).
5. Esa profesora **ilustró** con muchos ejemplos la teoría del cambio filosófico.
6. Cervantes **defendió** que cada uno es hijo de sus obras. (*Defender* es aquí adecuado, porque esta opinión la vierte D. Quijote para oponerse a la creencia vulgar de que ser hijo de alguien importante lo convierte a uno en importante).

7. A pesar de todas las evidencias en contra, Sofía **salió con** que ella creía en su inocencia. *Salir con que* es una expresión coloquial en la que se representa una conducta inesperada e ilógica. No es el único caso en que *salir* se encuentra con este sentido, están la frases hechas *salir* {*por peteneras, por los cerros de Úbeda, por esas*}.
8. Pedro **desveló** que Jaime era adoptado. (*Desvelar* es un verbo derivado de la misma raíz que *revelar*, su prefijo *des-* expresa 'quitar', aquí 'quitar –metafóricamente– el velo que oculta algo').

8.6. Como a menudo ocurre, son posibles varias soluciones. El criterio para que esta sea la más adecuada es tener claro lo que quiere decirse y buscar la expresión precisa. Cuando sean posibles varias en igualdad de condiciones, el objetivo es optar por lo normal, por lo que constituye la conducta habitual de los hablantes nativos.

1. **Raras veces** reconoce su culpa.
2. Gritó **con todas sus fuerzas** pidiendo socorro.
3. La joven preguntó **tímidamente** por el baño.
4. Te repito **por última vez** que no vuelvas a llegar tan tarde.
5. El herido, **con un hilo de voz**, dijo dónde había sido el golpe.
6. **De vez en cuando**, se pone a cantar tangos con su guitarra.

8.7.

1. Vamos con la primera situación, donde tú te acuerdas de algo que te obliga a apartarte de lo que estabas hablando:
   Oye, por cierto (oye, por sí mismo, no es muy adecuado para introducir la digresión), *¿cuándo viene tu hermana?*
   ¡Ay, que se me pasaba!, ¿cuando viene tu hermana?
2. Para no repetirnos mucho, utilizaremos para el ejemplo dos de estas fórmulas:
   Vamos a ver, la cuestión es que he recibido una carta de uds. en la que me comunican una sanción de tráfico...
3. Fuera de contexto y sin la ayuda de la entonación en el enunciado concreto, lo que pueda decirse sobre las diferencias comunicativas de la tercera serie de expresiones hay que mirarlo con reservas. De todos modos, las dos fórmulas interrogativas –especialmente, la segunda– muestran sorpresa en el interlocutor y también, puede deducirse, interés. *Ya ves, cosas que pasan, la vida* van en dirección contraria: el interlocutor no parece sorprendido, puede estar hasta aburrido. Que las dos últimas fórmulas representen tópicos no es un hecho ajeno a sus efectos comunicativos.

8.8. Supongo que al hacer los ejercicios habrás recordado la expresión *salió con que*, aparecida en 8.5.

1. Entonces me vino el jefe y me dijo que tenía que venir antes, **que si patatín, que si patatán**.
2. De repente Ruth **va y me dice que** no quiere ir a la fiesta.
3. Cuando menos me esperaba, Noelia **me soltó que** se iba del grupo.
4. A: –Perdona el retraso, estaba el tráfico fatal. B: –**¿Me lo dices o me lo cuentas**?
5. A: –Déjame diez euros, es que no funcionaba el cajero. B: –**A otro perro con ese hueso**.

8.9. Ya sabemos que nada de lo que aparece o desaparece en un mensaje es gratuito, cumple alguna función en relación con su contenido global. Decimos esto pensando en estas presencias de *ahora* (sobre todo, cuando va antepuesto al verbo o con una pausa delante), cuya aparente redundancia entraña una intencionalidad algo maligna por parte del hablante. Si este insiste en la obviedad de que alguien dice algo ahora (no va a decirlo, siendo un presente, anteayer), es porque quiere resaltar el carácter errático de la conducta de una persona que en este momento ha tomado una decisión contradictoria con su pasado; y como estas contradicciones se intuyen habituales, no puede tomarse muy en serio esta nueva decisión.

Desde esta perspectiva, hay que juzgar "*Ahora* Julio dice que va a dejar de fumar", "Dice que quiere buscar trabajo, *ahora*" y "*Ahora* Marta dice que va a estudiar".

También la presencia aparentemente innecesaria de *ahora* puede comunicar el enfado del hablante por algo que debía haberse hecho antes; pero que, sin embargo, se realiza en este momento, ya tarde. Esto es especialmente evidente en "Alfonso me ha confesado, *ahora*, que no tiene dinero".

8.10. Respondemos ordenadamente a las cuatro cuestiones.

a. Las palabras de Castro son recogidas fundamentalmente de dos formas. Por un lado, por medio del estilo indirecto, que incluye alguna cita directa entrecomillada: *El dictador manifiesta que Cuba vive bajo un sistema "comunista" (son sus palabras), que, según él, es más justo, más igualitario y más libre que las putrefactas democracias capitalistas.*

Por otro, por medio de la alusión a esas palabras con calificativos tan directos como: "sandeces" o "cacofónicos discursos".

b. Es evidente que la simpatía o antipatía hacia una persona se refleja muchas veces en el modo de nombrarla. A la hora de dar un nombre al líder cubano, Vargas Llosa no es tampoco muy delicado cuando lo llama directamente "el dictador" y, luego, de modo más sutil, "el comandante" (entre las izquierdas, lo militar no goza de mucha simpatía) y "El Jefe Máximo" (expresión que inequívocamente evoca a dictador hispanoamericano). Luego, más impersonalmente lo llama "Fidel Castro" y "Castro". En ningún momento, lo llama con el familiar "Fidel", que es como lo hacen sus simpatizantes.

c. Tras lo que acaba de verse en las dos cuestiones anteriores, la respuesta es evidentemente no. Raras veces se es imparcial, y la simpatía o la antipatía se reflejan en muchos detalles. La manera de recoger las palabras ajenas o de referirse a ellas, o de nombrar a alguien son claros indicios.

d. Hasta tiempos recientes, en España el apellido era el medio habitual para dirigirse o referirse a un hombre entre compañeros de estudio o de trabajo. Las cosas han cambiado mucho, y el apellido se usa mucho menos; aunque paradójicamente, por razones fácilmente comprensibles, haya empezado utilizarse mucho más para las mujeres. Pensando ya en el presente, puede decirse que, por regla general, a la gente no le gusta (o le gusta menos) ser llamada por el apellido: a) porque el nombre propio se asocia a un grado mayor de empatía y familiaridad; y b) porque ser llamado por el apellido se percibe fácilmente como discriminación negativa, cuando a los demás se les conoce por el nombre. De todas formas, si tienes un nombre corriente y un apellido más bien extraño, habrá muchas posibilidades de que te llamen a menudo por el apellido.

8.11. Respondemos ordenadamente a las cuatro cuestiones.

a. La protagonista fue la primera mujer de África Oriental en obtener un doctorado y en dirigir un departamento universitario.

b. El MVC es el Movimiento Cinturón Verde. Vamos con las siglas españolas: CAMPSA (Compañía Arrendataria del Monopolio de Petróleos, Sociedad Anónima[1]), SEAT (Sociedad Española de Automóviles de Turismo), ONU (Organización de las Naciones Unidas), OTAN (Organización del Tratado del Atlántico Norte, en inglés es NATO), RENFE (Red Nacional de Ferrocarriles Españoles).

c. Las comillas guían los ejemplos de estilo directo. "Cabezota, triunfadora, con mucho nivel educativo, demasiado fuerte y muy difícil de controlar", su emisor es el juez. "Si ha llegado a esa conclusión es porque es usted un corrupto o un incompetente", son palabras literales (literales, hasta cierto punto, pues no se dirían en español) de Wangari Maathai. Igual que el resto de las citas entre comillas. En las últimas, no está tan clara la autoría, pero es lógico pensar que sean suyas.

d. *Gestionasen* es un pretérito imperfecto de subjuntivo de *gestionar*. Este es un verbo, por influjo del inglés *management*, muy empleado actualmente en los ambientes empresariales. Se refiere a la 'acción de manejar alguna realidad compleja guiada por algún objetivo'. *Ingresos* son 'los beneficios producidos por alguna actividad económica'. *Operativos* es un adjetivo también bastante de actualidad, para referirse a 'algo que está en funcionamiento, en activo'. *Desarrollo sostenible* es un sintagma, acuñado por el pensamiento ecologista (y quizá también ecológico), para aludir al 'desarrollo económico ideal que deben alcanzar los países en el que la prosperidad económica sea compatible con el respeto a la naturaleza'. *Conflictos* son 'problemas, tensiones, producidos por el enfrentamiento de contrarios'.

---

[1] La CAMPSA, creada en la Dictadura del General Primo de Rivera, fue hasta la entrada de España en la Unión Europea, la compañía que tenía el monopolio de las gasolinas. Actualmente, es una compañía integrada en el grupo REPSOL-YPF.

Unidad 9: Los sueños

Hipótesis, supuestos y deseos

9.1. **Imperfecto y condicional sirven para anular o rebajar el grado de realidad de un enunciado en réplicas o respuestas:**

1. ► Raúl es un gran futbolista.
   ▷ Era ➔ Lo fue, pero ahora no lo es.
2. ► ¿Irás a la fiesta?
   ▷ Iría... ➔ No hace falta escuchar más, no va a ir.

Siguiendo los dos modelos, construye tú un par de ejemplos con cada forma verbal.

9.2. **Como se ha señalado en el Libro del alumno, pág. 164, el condicional sirve para transmitir hipótesis, esto es, afirmaciones poco seguras, dependientes de que se produzca algún suceso o situación, a veces implícito. Esto explica que sea un tiempo verbal relativo, que no aparece habitualmente solo y, si lo hace, hay que sobrentender algo. De acuerdo con ello, continúa los siguientes enunciados (procura ser un poco imaginativo):**

1. Viajaría a Italia, si ....
2. Me compraría un nuevo ordenador, pero ....
3. Lo vería mejor con ....
4. No querría molestar, aunque ....
5. En ...., te acompañaría.

9.3. **La mencionada dependencia de algún suceso o situación y su relación con los pretéritos de indicativo es la causa de que el condicional se asocie a la expresión de los deseos lejanos, poco probables: *Me pegaría una ducha.* Puede sustituirlo en esta función el imperfecto de indicativo: *(Ahora mismo) me pegaba una ducha.***

Formula tres deseos en condicional e imperfecto de indicativo, ¿percibes alguna diferencia entre ambos?

9.4. **Con el condicional simple, por muy problemático que sea el cumplimiento del propósito, todavía hay alguna posibilidad. Esto no ocurre con el condicional compuesto: *Cambiaría de coche./Me habría cambiado de coche.***

El ejercicio ahora consiste en que pases del presente al pasado las siguientes intenciones y añadas en este la explicación de por qué el propósito se frustró como en el ejemplo:

Cambiaría de coche. ➔ *Habría cambiado de coche, si me hubieran hecho una buena oferta.*

1. Me apuntaría al curso de alemán. ➔ ....
2. Llamaría a mi amiga Noelia. ➔ ....
3. Cogería el metro. ➔ ....
4. Me llevaría el móvil. ➔ ....

9.5. **A pesar de estos sentidos hipotéticos, numerosos gramáticos opinan que el valor fundamental del condicional es funcionar como un futuro dentro del pasado *(Habían segado el día anterior, después lo recogían, y, por último, lo subirían a los camiones).* Pon cinco ejemplos de tal valor.**

9.6. **Por su propia naturaleza, el futuro de indicativo se asocia también a la expresión de lo hipotético, esto es, de aquello que no es seguro, pues depende de algunos factores. Comenta las diferencias entre: *Serán diez* y *Serían diez.***

9.7. **Existen diversas maneras para referirse a un suceso futuro. Comenta el grado de seguridad en su realización en estas:**

Saldré • *voy a salir* • *tengo que salir* • *he de salir* • *pienso salir*

Si has pensado en lo específico de cada una, podrás buscar la forma más adecuada para estos contenidos:

1. Mi mente abriga la intención de hacerlo. → ....
2. Siento la necesidad de hacerlo. → ....
3. De modo inmediato me dispongo a hacerlo. → ....
4. En un futuro lo hago. → ....
5. Siento la necesidad de hacerlo (registro formal). → ....

9.8. ***{Que/ojalá}* + PRESENTE DE SUBJUNTIVO ofrece la posibilidad de expresar un deseo cuyo destinatario es el interlocutor (a cuyo grupo puede pertenecer el hablante): *Ojalá te llamen pronto de ese trabajo, Que no sea nada, Ojalá nos toque la lotería.* Porque no es un deseo aplicable al sujeto, esta construcción sirve para transmitir a menudo deseos convencionales, de dudosa sinceridad.**

Transforma los siguientes deseos formulados en condicional en esta construcción de subjuntivo. Deberás elegir en algún caso entre *que* y *ojalá*:

1. Me gusta que te vaya bien. → ....
2. Querría que le dieran ese puesto. → ....
3. Desearía que aprobaras el examen. → ....
4. Es bonito que vengas mañana. → ....

9.9. **En la última construcción puede aparecer en lugar del presente de subjuntivo el imperfecto en este mismo modo. ¿Qué diferencias encuentras entre los siguientes pares de enunciados?**

1. Ojalá esté ya bien./Ojalá estuviera ya bien.
2. Ojalá me escriban pronto./Ojalá me escribieran pronto.
3. Ojalá no haga mucho calor./Ojalá no hiciera tanto calor.

Al ver estos enunciados quizá te hayas preguntado por qué no se han puesto ejemplos con *que* + SUBJUNTIVO. Quizá te ayuden para encontrar la respuesta los cuatro enunciados del ejercicio anterior.

9.10. **Existen diversas expresiones adverbiales para manifestar que el hablante no puede afirmar con seguridad la situación o suceso al que se refiere: *tal vez, quizá, a lo mejor, posiblemente, seguramente, probablemente, lo mismo, igual.* Intenta profundizar en sus particularidades y, después, construye con cada una un ejemplo.**

9.11. ***A lo mejor* como expresión adverbial desarrolla un significado progresivamente alejado del originario como en: *A lo mejor ocurre lo peor.* Esto mismo puede suceder en otros casos donde podemos encontrarnos con aparentes redundancias o contradicciones:**

1. Mañana quedamos por la mañana.
2. "Seguramente" me dijo, lo que no quiere decir seguro.
3. Se llama Juan Criado Rey.
4. Voy a ir a casa.
5. Tienes que tenerlo a punto hoy.
6. A ver si no ves tanta televisión.

Comenta cómo son posibles estos casos. Procura antes de terminar los ejercicios de la unidad encontrar algún ejemplo por tu cuenta.

9.12. **Para enfatizar el grado de verdad de su afirmación, el español cuenta también con otras expresiones adverbiales: *seguro que, con toda seguridad, sin lugar a dudas; de todas, todas; desde luego.* Construye con cada una un ejemplo.**

9.13. **Existen determinados verbos en presente de subjuntivo y en primera persona del plural *(pongamos/supongamos/imaginemos/digamos)* que con la conjunción *que* introducen suposiciones, sin ser necesariamente reales, pues se presentan como imaginarias. Cumplen un papel en relación con la realidad, en la que intentan de algún modo influir. Construye con cada uno de ellos un ejemplo.**

9.14. **Los hablantes nativos dudan muchas veces en el empleo correcto de las perífrasis *deber* + INFINITIVO *(Debe estar más atento)* y *deber de* + INFINITIVO *(Deben de haber sonado las campanas).* Pon un asterisco en los enunciados incorrectos. La justificación de la respuesta te llevará a recordar el contenido de cada una de ellas:**

1. Debes de ser más cuidadosa.
2. Debe de ser ingeniero.
3. Debe estar aquí ya.
4. Debe de hacer los ejercicios.
5. Debe de estar haciendo los ejercicios.

9.15. **Para la expresión de la probabilidad existen también la perífrasis *poder* + INFINITIVO y *puede que* + SUBJUNTIVO *(Pueden ser seis./Puede que sean seis).* Convierte los siguientes ejemplos de *poder* + INFINITIVO en ejemplos de *puede que* + SUBJUNTIVO:**

1. Pudieron venir unos diez niños. → ....
2. Pueden estar ya. → ....
3. Pueden haber salido. → ....
4. Puedo estar enfermo. → ....

9.16. **La perífrasis *poder* + INFINITIVO expresa 'autorización o capacidad para...', además de probabilidad. Hay que estar atento para no confundir estos sentidos, pues a veces están muy próximos. Examina *Puedo estar a la hora.***

Resuelta esta cuestión, utiliza esta perífrasis para la transmisión de los siguientes contenidos:

1. Tienes permiso para salir hasta las 12. → ....
2. Tiene la posibilidad de terminar el curso. → ....
3. Tenéis autorización para organizar la fiesta. → ....
4. Tenemos autorización para entregar el trabajo dos días más tarde. → ....
5. No tengo posibilidad ni permiso para acompañarte. → ....

9.17. **El ejercicio consiste en explicar la pequeña diferencia existente entre los enunciados de estas parejas:**

1. Yo oigo esta emisora de radio./Yo sí oigo esta emisora de radio.
2. Cuando llegaba todos los días, salía él./Cuando llegaba yo todos los días, salía.
3. Vive en Alcalá./Vive en Alcalá de Henares.

9.18. **Lee con atención este fragmento de una famosa novelista alemana del siglo pasado:**

Así había pasado alguna semana de mi nueva vida, cuando, un nuevo día, me llamó la atención Jeannette, porque me retraía completamente de mi tía Eldegart, que, sin embargo, siempre se había preocupado por mí con tan gran desvelo. Jeanette era mi antigua aya, y me había enseñado las primeras letras. Era una francesa pequeñita, ya entrada en años, con una inteligente carita de ratón algo arrugada y, evidentemente, sin pretensiones. Su figura se había ido haciendo, de año en año, cada vez más insignificante; de tal manera que, de niña, había tenido yo, a veces, la congojosa idea de que Jeanette pudiera llegar a volatilizarse por completo. Recuerdo perfectamente que se apoderaba de mí este temor siempre que ella salía a la ciudad y se retrasaba algo más de lo que se había pensado. Y esta idea era para mí realmente muy angustiosa, pues Jeannette estaba tan íntimamente unida a nosotros como un miembro de la familia. Desde que cumplí los catorce años me había permitido tutearla familiarmente, lo cual no se me hizo nada difícil. Nunca había considerado a Jeannette como una persona grave y respetable; precisamente este punto de respeto había sido en algún tiempo para mi abuela motivo de cierta preocupación, pues, efectivamente, yo había hecho, de niña, algunas jugarretas a Jeanette. Por ejemplo, recuerdo aún cómo, en cierta ocasión, poco antes del comienzo de la clase, me quité los zapatos y los hice aparecer tan hábilmente por detrás de la cortina del llamado "guardarropa" que, Jeanette, al entrar, hubo de creer que yo me había escondido allí. El resultado que yo pretendía no se hizo esperar y, desde mi verdadero escondite, oía yo encantada cómo Jeanette, que era muy reposada, regañaba largo tiempo ante la cortina y me ordenaba que hiciera el favor de salir de allí.

Gertrude von Le Fort, *El velo de Verónica.*

a. **En el fragmento, se describe el personaje de Jeanette: ¿qué relación tiene con la narradora?, ¿cuál es su cometido profesional? También se relata una broma: cuenta en qué consiste y quiénes participan. Ahora haz memoria y escribe una redacción contando alguna broma tuya cuando niño.**

b. **Muchos fenómenos mentales interfieren en nuestra percepción de la realidad. Uno de ellos es el miedo. ¿Qué temor invadía a la narradora de niña? ¿Te atreves a contarnos tu mayor miedo?**

c. **Al cumplir la protagonista catorce años, Jeanette le permite tutearla. ¿En qué consiste esta autorización? ¿Conoces los factores actuales que regulan el uso de *tú* y de *usted* en la conversación?**

d. **Al hablar comunicamos siempre más que lo que decimos literalmente, como se comprueba al ver, por ejemplo, la existencia de nombres cuyo complemento está omitido y el oyente debe deducirlo. Es lo que sucede con *pretensiones* antes del tercer punto. ¿*Pretensiones* de qué? ¿Conoces algún otro ejemplo en que normalmente solo aparece el nombre porque su complemento casi siempre está sobrentendido? ¿Sabes el significado del coloquial *finde*?**

e. **En el texto se encuentran dos diminutivos *(pequeñita, carita de ratón)*. ¿Qué te parece que aporta en ellos el morfema de diminutivo? Pon cinco ejemplos habituales de diminutivos y examina sus valores. ¿Te parece que en español se usan más los diminutivos que en tu lengua? Además de *-ito,* ¿conoces algún otro diminutivo?**

f. **¿Qué te parece *jugarreta*? Descomponla en su raíz y prefijos. ¿Cuál es su significado? ¿*-eta* es un diminutivo?**

g. **En el texto aparecen ejemplos de adjetivos delante del nombre *(congojosa idea)* y detrás *(persona grave y respetable)*. ¿Conoces los principios que regulan la colocación del adjetivo junto al nombre?**

h. **En el fragmento, se halla *gran desvelo; gran* es una forma reducida del adjetivo *grande*. ¿Conoces la regla que determina cuándo ha de aparecer la forma completa y cuándo la reducida? ¿Conoces algún otro caso que, de acuerdo con la misma regla, admita las dos formas?**

9.19. **En esta noticia, un catedrático de Psiquiatría comenta el terrible asesinato de dos niños realizado por su madre, bajo los efectos del alcohol y las drogas:**

De Murcia procede la noticia que ha sembrado la consternación en toda la población española. Todo derrumbe del instinto maternal, aunque sea a título ocasional, conduce inexorablemente a la espantosa sensación de encontrarnos ante una madre desnaturalizada (...) Pero hay otra manera totalmente distinta de interpretar este terrorífico suceso. En efecto, si analizamos el doble acto parricida en toda su perspectiva, sin ninguna clase de escamoteo, entonces el principal protagonismo lo asumen los efectos agudos del alcohol. El alcoholismo etílico es una de las drogas que posee mayor capacidad para distorsionar la mente humana y avasallarla con un cortejo de ilusiones y productos delirantes de tipo patológico, una especie de semisueño patológico. Pero así como en otras drogas puede tratarse de un onirismo más o menos mágico e inactivo, el nuevo mundo de irrealidad generado por el alcohol (...) está saturado de fantasías e impulsos agresivos desprovistos de sentido y dirigido contra las personas presentes.

F. Alonso Fernández, "Alcohol y violencia", Periódico *ABC*.

a. **En el fragmento, abundan cultismos y tecnicismos relativos (no son muy estrictos), hemos subrayado algunos para que los definas con la ayuda del contexto.**
b. **Seguro que la lectura te ha interesado y te ha llevado a pensar en las posibles consecuencias de la ingesta de alcohol. En relación con tu país y tu cultura, ¿te parece que en este se bebe más o menos?, ¿del mismo modo?, ¿dónde existe mayor aceptación social de este acto?**
c. ***Semisueño*** **es un ejemplo de palabra derivada con** ***semi-*****, ¿conoces el significado de este prefijo?, ¿conoces algún otro prefijo que limite la cualidad expresada en la raíz?**
d. **En la última oración se da un caso de la perífrasis** ***poder*** **+ INFINITIVO, ¿qué expresa: posibilidad, capacidad o autorización?**

Claves

Unidad 9: Los sueños

9.1. La función del imperfecto de trasladar la verdad de un enunciado al pasado, y, por tanto, negar su validez actual, la desempeña igualmente el indefinido:

1. ▸ No te enfades con Antonio, es tu mejor amigo.
▹ {*Era/ fue*}

Con el condicional en estos casos el hablante persigue varias metas: mostrar al oyente el deseo de satisfacerlo, pero, al mismo tiempo, la imposibilidad de hacerlo. Por esto, detrás del condicional viene la justificación, a menudo introducida por un conector adversativo *(pero)* o condicional *(si)*:

2. ▸ ¿Me acercas a casa (se sobrentiende que en coche)?
▹ Te *llevaría*, pero...

9.2. La respuesta es libre. Estas son nuestras propuestas:

1. Viajaría a Italia, si **el puente fuera más largo**.
2. Me compraría un nuevo ordenador, pero **no acabo de encontrar ninguna oferta que me convenza**.
3. Lo vería mejor con **un telescopio más potente**.
4. No querría molestar, aunque **tengo que salir**.
5. En **otro momento**, te acompañaría.

9.3. Para conseguir este determinado efecto de deseo de cumplimiento improbable es necesaria la compañía de una expresión adverbial vinculada de alguna manera con el futuro:

1. En este momento, le {*llamaba/llamaría*} por teléfono.
2. Mañana mismo {*volaba/volaría*} a la Antártida.
3. En este instante me {*echaba/echaría*} una buena siesta.

Con el imperfecto hay una mayor posibilidad de realizarse, como si con él bastase la decisión del hablante.

9.4. El ejercicio te habrá resultado muy fácil, pero además te habrá sido provechoso si has visto bien la diferencia entre ambos condicionales:

1. Me apuntaría al curso de alemán. → *Me habría apuntado al curso de alemán, si hubiera habido plazas.*
2. Llamaría a mi amiga Noelia. → *Habría llamado a mi amiga Noelia de haber sabido que estaba en la ciudad.*
3. Cogería el metro. → *Habría cogido el metro, habiendo habido una estación cerca.*
4. Me llevaría el móvil. → *Me habría llevado el móvil, pero está roto.*

El ejercicio te ha conducido a construir condicionales irreales, donde la condición no se produjo; o adversativas, en las que el miembro introducido por *pero* expresa la causa que ha impedido el incumplimiento del propósito.

9.5. Entre este valor temporal y el hipotético de los ejercicios anteriores existe una relación, que verás en los ejemplos de condicionales como tiempo posterior respecto a un pasado:

1. Me juró que me lo *devolvería* el lunes.
2. Le comunicó que *estaría* de vuelta mañana.
3. Creí que no *volvería* a jugármela.
4. Presentíamos que *aparecería* por esa puerta de un momento a otro.
5. Vio claro que lo *conseguiría*.

Todos los ejemplos son subordinadas sustantivas en las que el verbo principal rige indicativo. Esta es la razón por la que el gran gramático venezolano Andrés Bello incluyó el condicional dentro del modo indicativo.

9.6. *Serán diez* es una información solo probable en relación con un suceso o situación presente *(A: –¿Cuántos son? B: –Serán diez)*. En *Serían diez* la información probable se refiere a algo pasado *(A: –¿Cuántos eran? B: –Serían diez)*.

9.7. Las que encierran una mayor seguridad son *saldré* y *voy a salir*. Cada una basa su seguridad en razones distintas: en la primera se informa sobre un suceso futuro; en *voy a salir* se comunica la intención de realizar algo de forma inminente. En ninguno de los dos casos la seguridad es absoluta, puesto que el futuro nunca es absolutamente predecible. Quizá en *voy a salir*, por su mayor cercanía con el presente y la determinación de su sujeto, exista una seguridad más fuerte.
Frente a ellas, en *tengo que salir, he de salir* o *pienso salir* no hay seguridad de que vaya a suceder así, solo de que en el hablante existe esa obligación o esa intención.
Pienso hacerlo, tengo que hacerlo, voy a hacerlo, lo haré, he de hacerlo.

9.8.
1. *{Ojalá/que} te vaya bien.*
2. *Ojalá le dieran ese puesto.*
3. *{Ojalá/que} apruebes el examen.*
4. *Ojalá vengas mañana.*

Para la expresión de este contenido lo más normal es hacerlo con *ojalá*. *Que* solo es posible en estos casos con el presente de subjuntivo y no siempre; con las demás formas verbales de subjuntivo solo puede darse *ojalá*. La explicación del comportamiento defectivo de *que* se encuentra en que con él no siempre está clara la distinción entre el deseo y la orden *(¡Que apruebes!)*, de ahí que solo aparezca para la expresión del deseo en frases más o menos hechas *(Que aproveche, Que te vaya bien, Que descanses)*, en las que la interpretación es clara. Respecto a su imposibilidad en estas construcciones de combinarse con otra forma que no sea el presente de subjuntivo, el hecho guarda relación con otra limitación de *que*: es una conjunción de subordinación que normalmente necesita de un predicado principal. En estas construcciones, dicho predicado falta; por eso, fuera de las frases más o menos hechas mencionadas un poco antes, no es posible una construcción encabezada por *que*, se sentiría incompleta *(*Que le dieran ese puesto)*.

9.9. Las diferencias entre estos pares de enunciados recuerda algo lo ya visto con motivo de la oposición *será/sería*. Con el presente de subjuntivo el deseo es más realizable, mientras que con el imperfecto este es casi o totalmente imposible, con él solo hay un deseo pero ninguna realidad. Comentamos ya con esta pauta los ejemplos del ejercicio:

1. *Ojalá esté ya bien* (puede estarlo)./*Ojalá estuviera ya bien* (no lo está, aunque lo deseo).
2. *Ojalá me escriban pronto* (es posible)./*Ojalá me escribieran pronto* (lo veo más improbable).
3. *Ojalá no haga mucho calor* (tengo esperanza de que así vaya a ocurrir)./*Ojalá no hiciera tanto calor* (no hay esperanza, pues hace mucho calor; solo es un deseo imposible).

La respuesta a la ausencia de ejemplos con *que* se dio en la clave anterior.

9.10. *Seguramente, probablemente* manifiestan la mayor seguridad, que no es desde luego total. Tras él, va *posiblemente*, con un grado menor de confianza en que el acontecimiento se produzca. En *seguramente, probablemente* y *posiblemente*, la información es más verosímil; con *tal vez, quizá* o *a lo mejor*, es más dudosa. *Lo mismo* o *igual* transmiten lo mismo; su peculiaridad, aparte de ser propios de la lengua coloquial, estriba en su relación con sucesos futuros inseguros cuyo cumplimiento depende de la propia voluntad del hablante y sujeto. En *tal vez, quizá* o *a lo mejor*, la resolución favorable de la incertidumbre depende sobre todo de factores externos. *A lo mejor*, del que tratan el ejercicio y la clave siguientes, prefiere combinarse con sucesos inseguros, pero de carácter positivo *(A lo mejor viene* → ese es mi deseo).

1. *Seguramente voy.* → Así lo espero.
2. *Probablemente saldré a las 7.* → Es lo más seguro.
3. *Posiblemente no lo hiciera él.* → Esa es mi creencia, aunque no me atrevo a asegurarlo.
4. *{Tal vez/quizá} lo hiciera.* → Cabe la posibilidad, pero hay serias dudas.
5. *A lo mejor, podemos salir.* → Mi deseo es ese, pero no puedo asegurarlo.
6. *{Lo mismo/igual} voy.* → Cabe la posibilidad de que suceda y yo puedo ser decisivo en que así suceda.

9.11. En *a lo mejor* se ha producido un debilitamiento de su significado propio ('si las cosas van bien, en caso favorable'), para significar simplemente 'tal vez'. Esto es lo que explica el aparentemente absurdo *A lo mejor ocu-*

rre lo peor. Este fenómeno de pérdida de significado, conocido como *gramaticalización*, lo tenemos en todos los enunciados del ejercicio menos en el primero, el de la *mañana* y, con matices, en *Juan Criado Rey.*

1. y **3.** En *Mañana quedamos por la mañana*, lo que se encuentra es un caso de polisemia, *mañana* puede significar 'el primer momento del día, previo al mediodía y la tarde' o 'el día siguiente'. En el ejemplo del apellido, chocamos con la aparente contradicción de una persona que es criado y rey. Esto es posible porque los apellidos son viejos nombres o adjetivos fósiles, cuyo significado original se ha perdido. Así, no es raro encontrar alguien muy rubio que se apellide *Moreno, Prieto* o *Negro*; o, viceversa, alguien muy moreno apellidado *Rubio, Rojo* o *Blanco*.

2. *"Seguramente" me dijo, lo que no quiere decir seguro* es un ejemplo de cómo el adverbio *seguramente*, derivado del adjetivo segura, se ha debilitado y ya solo significa, como vimos en 9.10., 'bastante probablemente'.

4. *Voy a ir a casa* es una perífrasis (*ir* + INFINITIVO), cuyo verbo auxiliar, como se ha visto, solo significa la inmediatez de un acto y la disposición del sujeto a ello. No significa ya movimiento físico, por eso puede combinarse sin que entrañe redundancia en el significado con *ir*, que en su segunda aparición y como verbo principal mantiene esta significación.

5. *Tienes que tenerlo a punto hoy* es otro ejemplo semejante de perífrasis verbal, en el que el auxiliar *tener* se ha desligado de su significación original de posesión y mantenimiento en esa posesión.

6. *A ver si no ves tanta televisión. A ver* es una expresión adverbial, sin relación ya con la visión, que comunica una orden no muy exigente por medio de un deseo respecto a un comportamiento que debe empezar a seguirse.

¿Has encontrado algún ejemplo por tu cuenta? Te añadimos dos: *Anda enfermo en cama desde hace unos días; Gracias a tus palabras, se enteraron de todo.*

9.12. Vamos con los ejemplos y sus comentarios:

1. *Seguro que has sido tú.* → 'Tengo la firme creencia; por eso, te acuso' (aunque carezca de la evidencia total, por lo que la seguridad no es absoluta).
2. *Con toda seguridad han salido.* → 'No hay duda de que han salido'.
3. *Sin lugar a dudas*, han salido. → 'No hay duda de que han salido'.
4. *De todas, todas*, han salido. → 'No hay posibilidad alguna de que no haya sucedido de este modo'. Se diferencia de las dos anteriores, tan enfáticas como esta, en que es más coloquial. Es corriente en mandatos *(Tú no vas, de todas, todas)* o en afirmaciones rotundas *(Era Noelia, de todas, todas)*. Una variante más coloquial, irrespetuosa y, por tanto, más enfática es *como hay Dios (Como hay Dios, de aquí no me muevo).*
5. *Desde luego, han salido.* → Para el hablante, es evidente el hecho; su presencia se asocia a menudo a un cambio de opinión (antes podía pensar de otro modo, pero los hechos lo han hecho cambiar).

9.13. *Pongamos que hablo de Madrid* (es el título de una canción de los años ochenta), *Supongamos que lo hago, Imaginemos que me voy, Digamos que vienen cinco.* Si el oyente confunde la suposición con una afirmación literal sobre algún aspecto de la realidad, el hablante puede replicar con "es solo una comparación", "es solo un ejemplo", "es un suponer".

La especial naturaleza de estas construcciones las hace muy útiles para introducir críticas o para hacer una prospección acerca de cuál sería el comportamiento del interlocutor si el supuesto se produjera. Son, pues, una manera para realizar algún acto potencialmente conflictivo, sin mucho riesgo.

9.14. Aunque existan numerosos y venerables ejemplos en contra que se remontan a los primeros siglos del español, la norma culta es taxativa: *deber* + INFINITIVO indica 'obligación' y *deber de* + INFINITIVO, 'probabilidad, posibilidad'.

1. *Debes de ser más cuidadosa. → Indica obligación, por tanto *Debes ser más cuidadosa.*
2. Debe de ser ingeniero. → Si pensamos en su interpretación más normal, se trata de una conjetura, está bien.
3. *Debe estar aquí ya. → Es incorrecta, porque estamos pensando en una suposición. Si estuviera dándose una orden, debería suprimirse el asterisco.
4. *Debe de hacer los ejercicios. → Incorrecta, pues está enunciándose un deber y no expresándose una suposición.
5. Debe de estar haciendo los ejercicios. → Correcta, pues está hablándose de un suceso acerca del que no hay completa seguridad.

9.15. La equivalencia solo se da cuando la perífrasis indica posibilidad.

1. Puede que vinieran unos diez niños.
2. Puede que estén ya.
3. Puede que haya salido.
4. Puede que esté enfermo (estas afirmaciones aplicadas a uno mismo son, lógicamente, algo extrañas).

9.16. *Puedo estar a la hora* significa normalmente que el hablante confía en llegar a punto, porque tiene capacidad para ello.

1. Puedes salir hasta las 12.
2. Puede terminar el curso.
3. Podéis organizar la fiesta.
4. Podemos entregar el trabajo dos días más tarde.
5. No puedo acompañarte.

9.17. El ejercicio persigue que reflexiones sobre un principio comunicativo presente en todas las lenguas: nada hay estrictamente redundante, por lo que, cuando aparece en un mensaje una palabra o expresión aparentemente innecesarias, es un aviso de que el mensaje no debe interpretarse igual que si no hubiera aparecido.

1. El principio que acaba de exponerse es particularmente claro en el primero de los pares. Si uno dice que oye una emisora de radio sin más, no está más que describiendo un comportamiento. Sin embargo, *Yo sí oigo esta emisora de radio* comunica por parte del hablante no solo eso sino también una actitud enfática, suscitada por ejemplo ante la afirmación de alguien que ha declarado que no oye esa radio (se supone que porque no le gusta). Sin apelar a este propósito polémico, es posible también que la afirmación indique solo que el hablante, frente a su oyente, puede sintonizar la emisora desde el lugar donde vive.
2. *Llegaba* y *salía* son dos formas del imperfecto de indicativo potencialmente ambiguas: pueden estar en primera o tercera persona del singular. La presencia del pronombre sujeto junto a alguna de ellas es un reflejo del interés del hablante por deshacer alguna confusión.
3. El último ejemplo también es representativo de cómo en los hablantes funciona una conciencia que les advierte de posibles fallos cometidos o por cometer. Alcalá es el nombre de varias localidades españolas *(Alcalá de Guadaira, Alcalá de los Gazules...)*; si el contexto no aclara a cuál se refiere el hablante, este se debe precisar con el nombre completo.

9.18. Vamos a contestar las preguntas.

a. Jeanette era una persona muy querida de Verónica, el personaje que está narrando la historia, es su aya. El aya pertenecía al personal de servicio en las familias acaudaladas, donde gozaba de una especial confianza y una posición preeminente. No era estrictamente un *ama de llaves*, que solo se encargaba de las labores domésticas, ni una *institutriz*, cuyo cometido era exclusivamente docente. Ninguna de estas figuras profesionales existen en la actualidad.
La broma consiste en hacer creer a Jeanette que Verónica, la niña, está escondida tras unas cortinas, cuando lo único que hay son sus zapatos.

b. Al ver cómo la pequeña figura de Jeanette iba menguando con los años, a Verónica le angustiaba que llegase a desaparecer en su sentido material más exacto *(volatilizarse)*. Es un miedo debido a la imaginación infantil, que, sin ser psicólogos, parece relacionado con el miedo de ver morir a los seres queridos.

c. Ni ahora hay ayas ni las normas del empleo del *tú* son las de la época de la protagonista. En efecto, *tutear* es tratar de *tú*. Los cambios de todo tipo ocurridos en España (en América, la situación es diferente) en las cuatro últimas décadas han reducido mucho el empleo de *usted*, a pesar de algunas reacciones tendentes a restituir algo viejos usos. La norma no es fija; pero, como criterio general y referido solo a España, puede decirse que *usted* se reserva cuando existe una diferencia de edad importante con el interlocutor. Las diferencias sociales son menos determinantes para su empleo. Dentro de la familia, no se trata a nadie ya de *usted* (salvo residuos, cada vez menores). Los niños tardan en aprender el uso del *usted*, y cada nueva generación tiende a emplearlo menos que la precedente. Para favorecer más este triunfo de *tú* en perjuicio de *usted*, en España es incorrecto tratar de *tú* a quien te trata de *usted*, lo adecuado es la reciprocidad, aunque las diferencias sociales existan. Este principio se altera algo en determinados contextos como la enseñanza, la judicatura o el ejército. Por último, conviene tener en cuenta que a mucha gente mayor no le agrada que los traten de *usted* porque los hace *viejos*.

d. En efecto, es habitual *pretensiones* (siempre en plural) sin su complemento, porque este (que podría ser "de reconocimiento, de triunfo social") se da por sabido. Otros casos relativamente parejos son *ambiciones (Pedro está lleno de ambiciones*, se entiende que de dinero, de triunfo social...), *corrida (de toros), mesas libres* (en un bar o restaurante, se entiende que para sentarse y tomar alguna consumición o comer), *rebajas (Han empezado las rebajas*, se entiende que de los precios) o *declaración (Todos los años llevo la declaración a esos abogados*, se entiende que de la renta)... *Finde* es una manera coloquial entre la gente joven española y, sobre todo, urbana para referirse al *fin de semana (Me voy de finde a La Rioja)*.

e. Los hispanohablantes, especialmente hispanoamericanos, recurren más abundantemente al diminutivo que los hablantes de otras lenguas. Esto ha supuesto, y es asimismo un factor explicativo importante, que el diminutivo adquiera valores emotivos *(Vamos a tomarnos una cervecita, Vaya añito que llevamos, Sarita...)*, más allá del puramente objetivo de la aminoración *(¡Qué librito tan pequeño!)*. A menudo, ambos valores se funden por aquello de que lo pequeño suele suscitar determinados afectos, es lo que tenemos en los diminutivos del texto *(pequeñita, carita de ratón)*. Existen diversas variantes del morfema de diminutivo, repartidas por las distintas áreas geográficas del español: *-iño/a* (Galicia), *-ín/a* (Asturias), *-ino/a*

(Salamanca, Extremadura), *-ico/a* (Aragón, Costa Rica, Colombia, Venezuela...), *-illo/a* (Andalucía) o *-ito/a* (el más general en España y América).

f. *Jugarreta* es un nombre derivado de *jugada*, que tiene el significado de 'mala jugada, faena, de poca trascendencia'. A la raíz *jug-* se le han agregado el interfijo despectivo *-arr- (dulz**arr**ón)* y el sufijo diminutivo *-ete/a,* asociado a algo con poca entidad, de escasa categoría *(noviete/a)*. Tenemos, pues, una palabra en la que interactúan lo despectivo y lo diminutivo.

g. La colocación del adjetivo en español está sujeta a un conjunto de factores, a veces contradictorios, que siempre han interesado e intrigado. Como regla general, la posición normal del adjetivo es detrás del nombre. Cuando se coloca delante *(nueva vida, antigua aya, congojosa idea...)*, posición que muchos adjetivos no admiten, se carga de valores emotivos, que pueden alterar su función distintiva e incluso su significado *(cierta preocupación/preocupación cierta)*.

h. *Grande (un gran chico/un chico grande)* como *cualquiera (cualquier persona/una persona cualquiera)* o *santo (san Pedro/Pedro el santo)* cuentan con una forma reducida delante del nombre. *Tanto* ofrece alguna particularidad: como determinante aparece de forma plena *(tantos amigos, tanto esfuerzo)* y se reduce como adverbio *(tan amigos, tan difícil)*.

9.19. a. Aunque se trata de un artículo publicado en un periódico destinado para el gran público, efectivamente, aparecen algunas palabras infrecuentes en la lengua coloquial:

- *Consternación:* 'Tristeza, abatimiento ante una desgracia'.
- *Inexorablemente:* 'Fatalmente, inevitablemente'.
- *Desnaturalizada:* 'Que actúa de forma contraria a lo que es natural' (en este caso, en una madre).
- *Parricida:* 'Asesino de un familiar directo'.
- *Escamoteo:* 'Acción de ocultar malintencionadamente algo'.
- *Protagonismo:* 'Aparición de algo o alguien como el personaje principal de un suceso'.
- *Distorsionar:* 'Alterar la realidad y/o percepción de algo'.
- *Avasallar:* 'Esclavizar, reducir al estado de vasallo (siervo)'.
- *Cortejo:* 'Conjunto ordenado de elementos en torno a alguien o algo principal'.
- *Onirismo:* 'Trastorno en el que realidad y sueño se confunden'.
- *Saturado:* 'Lleno'. Es un término proveniente de la Química que alude a que se hallan cubiertas las posibilidades de combinación de un elemento.

b. En España, se bebe bastante. Su especificidad, frente a los países del norte y centro de Europa, es que el español es un bebedor social, no solitario. Tradicionalmente, el español ha sido bebedor de vino; las cosas han ido cambiando: las mujeres se han incorporado al hábito de la ingesta de alcohol y el vino ha sido sustituido en el consumo habitual por la cerveza; y, en los fines de semana, por los pequeños vasos de alcoholes de más graduación *(chupitos)* y los combinados alcohólicos (popularmente, *cubatas*). En la América Española, los hábitos alcohólicos parecen diferentes.

c. *Semi-* es un prefijo que disminuye la cualidad de lo expresado por la raíz, *semisueño* indica un estado próximo al sueño, pero sin ser estrictamente él (como *duermevela*). Otros sufijo que cumplen esta función: *casi/cuasi- (casiperfecto)*, entre- *(entrecano)* o *medio* (a menudo, se escribe separado: *medio enamorado*). Otro prefijo próximo es *para-* 'próximo, parecido a algo; pero sin llegar a confundirse con él' *(paramilitar)*.

d. *Puede tratarse* significa aquí posibilidad y equivale a *puede que se trate*. Recuerda el ejercicio 9.15. y su clave.

Unidad 10: El dinero

Las condicionales

10.1. **En las págs. 173 y 175 del Libro del alumno se ofrecen otras maneras de expresar la condición además de con *si*. Por ejemplo, por medio de oraciones coordinadas con *y* u *o*, en las que hay una significativa pausa intermedia:**

- *Si te vas, no vuelvo a hablarte.* → *Vete y no te hablaré más.*
- *Si no vas a colaborar con el grupo, dilo cuanto antes.* → *Colabora con el grupo o dilo cuanto antes.*

Transforma las siguientes oraciones condicionales con *si* en sus equivalentes con *y* u *o*:

1. Si vuelves a amenazar, tendré que tomar medidas. → ....
2. Si sigues con la televisión tan alta, llamaré al conserje. → ....
3. Si sales sin jersey, te constiparás. → ....
4. Si no traes el diccionario, no podrás hacer el examen. → ....

10.2. **Como acabas de ver en el ejercicio anterior, la formulación de amenazas, así como de tratos y acuerdos, se vale a menudo de construcciones condicionales típicas y atípicas. Al revés que en él, se te propone ahora una serie de estas últimas para que las conviertas en condicionales estándar con *si*:**

1. Hazlo y verás. → ....
2. Déjame el CD y yo te presto la videoconsola. → ....
3. Te llevaré, pero antes he de terminar con este asunto. → ....

10.3. **Señala los conectores condicionales presentes en este ejemplo:**

> El acuerdo está ahí y si el Sevilla inicia cualquier movimiento, la prioridad será para el Real Madrid, ya que Sergio Ramos tiene claro que de salir del Sevilla será para el Real Madrid.
>
> Periódico *Marca*.

10.4. **A veces, *si* condicional puede ir complementado con expresiones adverbiales como *al menos, más, máxime, ni siquiera, por lo menos, sobre todo, salvo* o *solo* (*Se lo dejaría, al menos si me lo pidiera por favor*). Ve colocándolas en los siguientes huecos de forma que no se repitan (en más de un caso es posible elegir entre varias):**

1. .... si hay ocho, podemos empezar el partido.
2. .... si me pide perdón, haremos las paces.
3. No quiero ni verlo, ... si anda por ahí diciendo esas cosas.
4. No la perdono, ... si me pide disculpas.
5. No vas a aprobar, ... si sigues sin centrarte.
6. No aprobarás .... si te centras.
7. No quiero ni verlo y .... si anda por ahí diciendo esas cosas.
8. Estoy enfadado con ella, ... si se disculpara...

10.5. **Te habrás fijado en que en estos casos en que el conector condicional se incrementa su oración subordinada tiende a ir detrás. Que la subordinada condicional vaya antepuesta o pospuesta afecta a la información que transmite. Compara estos pares de enunciados:**

1. Si no me equivoco, son las seis./Son las seis, si no me equivoco.
2. Si fuera domingo, me iría al campo./Me iría al campo, si fuera domingo.
3. De tener dinero, haría un viaje./Haría un viaje, de tener dinero.

10.6. **Han aparecido entre las expresiones adverbiales *por lo menos* y *al menos*. Comenta sus contenidos:**

1. *Por lo menos,* Clara ha dejado la carrera.
2. Son *por lo menos* cinco en ese grupo de chicas.
3. *Al menos,* queda la oportunidad de la vuelta.
4. Son *al menos* siete los candidatos a ese trabajo.

10.7. ***Si* + IMPERFECTO DE SUBJUNTIVO se asocia a las condicionales posibles (aunque improbables): *Si hicierais las paces, todos nos alegraríamos;* e irreales: *Si estuviera allí, podría arreglarlo.* Clasifica en posibles o irreales los siguientes ejemplos:**

1. Si *termináramos* el trabajo a tiempo, todavía podríamos salir a tomar algo.
2. Si *tuviera* más fuerza, movería yo solo el mueble.
3. Si *fuéramos* más, podíamos alquilar una furgoneta.
4. Si *echaran* una película buena el miércoles, íbamos al cine.

10.8. **La oración formada por *Si* + PRESENTE DE INDICATIVO + PRESENTE DE INDICATIVO sirve a veces para la transmisión de normas de valor general en las que se refiere un hecho habitual o reiterado *(Si tomas todas las noches pastillas para dormir, te acabas haciendo un adicto).* Construye cinco ejemplos de estas construcciones.**

10.9. **En la lengua coloquial, se emplea la construcción *Si* + PRESENTE DE INDICATIVO + PRESENTE DE INDICATIVO, en la que se niega rotundamente que a algo se le pueda atribuir una determinada propiedad (generalmente, positiva), por medio de una vinculación absurda: *Si este es un fontanero, yo soy el dios Neptuno.* Te tocan a ti cinco ejemplos.**

10.10. **Existe un tipo de condicionales en las que se enfatiza una determinada explicación: *Si ha suspendido es porque ha tenido mala suerte en el examen.* Su estructura es *Si... + ser + porque...* A partir de las siguientes oraciones causales construye una condicional de este tipo (conocidas como *explicativas* o *ecuandicionales*):**

1. Dejó la universidad porque le salió un gran trabajo.
2. No pudo volar porque no había billetes.
3. Desea que pasen estos días en seguida porque así llegan antes las vacaciones.
4. Está muy alegre porque ha ganado un premio en las quinielas.
5. No le dejaron entrar porque su visado estaba caducado.

10.11. **Existe un tipo muy empleado de condicionales llamadas *indirectas* que, en forma de incisos y a menudo con presente de indicativo, cumplen determinadas funciones comunicativas, a menudo, relacionadas con la cortesía como sugerencias o confesiones con algo de riesgo para el que las realiza. Completa los siguientes enunciados:**

1. Si quieres lavarte las manos, ...
2. Si no te importa, ...
3. Si he serte sincero, ...
4. ...., si no me equivoco.
5. Si te gusta, ...

10.12. **Transforma ahora estas oraciones condicionales con *si* en sus equivalentes con *a menos que* y *a no ser que:***

1. Si no llaman a última hora, saldremos a las cinco.
2. Si el tiempo no lo impide, se celebrará la corrida a las cinco.
3. Si no me admiten en la universidad, me matricularé en la Escuela de Idiomas.
4. Si no echan una película que merezca la pena, nos quedaremos en casa.

10.13. **La transformación que te toca en este momento es pasar a condicionales que lleven los conectores *a condición de (que), con tal (de) que* o *siempre {que/y cuando}*:**

1. Si hablas bien francés, te contratarán en esa empresa.
2. Si admite el error, lo perdonaré.
3. Si tu móvil tiene *bluetooth*, te pasaré ese tono.
4. Si tienes cuarenta euros para la entrada, vendrás al concierto.

¿Qué diferencias y semejanzas observas entre estos conectores y los del ejercicio anterior *a menos que* y *a no ser que*? Mira el Libro del alumno, pág. 176.

10.14. **Existe un tipo especial de construcciones con *si* en las que la oración principal es una interrogativa. Este es un ejemplo tomado de un libro donde se reflexiona acerca de ciertos descubrimientos científicos:**

> Si hechos como la radiación no estaban sujetos a la causalidad, ¿significaba que, en el fondo, nuestro mundo no era causal? Si había límites fijados a nuestro conocimiento de la materia, ¿significaba que todo el proyecto clásico habría de quedar incompleto? Si el observador afectaba lo observado, ¿tenía sentido hablar en términos clásicos de un mundo independiente y más allá de nuestra presencia?

Imagina la continuación de los ejemplos siguientes:

1. Si él no es el culpable, ¿ ....?
2. Si no te gusta la carne, ¿..?
3. Si quieres dejar de fumar, ¿..?
4. Si hoy es domingo, ¿..?
5. Si no tiene dinero, ¿..?

10.15. **En la lengua coloquial no son extrañas las oraciones con *si* en las que falta la oración principal: *¡Si no he sido yo!***

Te pedimos otro poco de imaginación para pensar en lo que hay que sobrentender en estos ejemplos, algunos son frases hechas. Aprovecha para exponer lo que comunican:

1. Si tu padre levantara la cabeza...
2. Si las piedras hablaran...
3. ¡Si estoy enfermo!
4. ¡Si lo he entregado!

10.16. **Las preposiciones *con* o *sin* + {SINTAGMA NOMINAL/INFINITIVO} pueden dar lugar a construcciones condicionales:**

- *Con esos modales, no vas a convencerlo.* → *Si sigues con esos modales, no vas a convencerlo.*
- *Sin recomendaciones, no te darán la plaza.* → *Si no tienes recomendaciones, no te darán la plaza.*

Rellena los huecos siguientes:

1. Con ...., se anda el camino.
2. Sin ...., nadie te escuchará.
3. Con ...., no irás a ninguna parte.
4. Sin ...., no terminarás nunca el trabajo.
5. Con ...., acabarás hablando español como un nativo.

10.17. **Señala la diferencias que observes entre estos pares de oraciones:**

1. Lo haría si pudiera./Lo haría si bien no puede.
2. Estando ella, me encontraría más tranquilo./Ni estando ella, me encontraría más tranquilo.
3. Asistiré al curso, de ir Margarita./¿Asistirás al curso, de ir Margarita?

10.18. **Una coma puede ser decisiva para que un enunciado diga una cosa u otra. ¿Significan lo mismo estos dos enunciados? ¿Te parece alguno incompleto?**

1. Se preocuparía más, de haberlo sabido.
2. Se preocuparía más de haberlo sabido.

10.19. **La función de los conectores condicionales pueden desempeñarla ciertos sintagmas preposicionales *(en el caso de que, en el supuesto de que)* o verbos *({supongamos, pongamos} que)*. Cuando aparecen, se crea un supuesto vinculado a una determinada consecuencia:**

En el caso de que haga buen tiempo, iremos a la playa.

Rellena los siguientes huecos:

1. En el caso de que aprobases, ...
2. En el supuesto de que haya todavía mesas libres, ...
3. Supongamos que no llama, ...
4. Pongamos que es solo una broma, ...

10.20. **El siguiente fragmento es un ejemplo de ese periodismo del corazón que tanto se cultiva en España en los últimos años:**

> Si algo ha aprendido en este último año la baronesa Thyssen es que hay que elegir muy bien a los amigos que una se lleva al barco. El verano de 2004 se fue a Cerdeña con su nuevo yate y allí pasó unas semanas de auténtico placer en Cala di Volpe, donde se reúne lo más jet de la auténtica jet.
>
> La baronesa es una mujer divertida y espléndida donde las haya. Le encanta vivir y disfrutar de la vida y le resbalan la mayoría de los comentarios que surgen a su paso donde son muchos los que se empeñan en recordarle su pasado como si a ella le importaran sus críticas. "Soy lo que soy gracias a la vida que he tenido", me dijo un día. Y tiene razón. Cervera ni se arrepiente ni se avergüenza de sus relaciones anteriores al barón Thyssen. Para nada.
>
> Lo que no le gustó nada fue el abuso de confianza que tuvo uno de sus invitados de Cerdeña. Se trata del chico que ahora asegura ser vidente y que se paseó por algunos platós de televisión para hablar de Tita, de su vida y amores, y de su estrecha amistad con el karateca Javier Báñez. El chico en cuestión había pasado unos días en la embarcación de la baronesa y no en calidad de vidente y sí como ayudante de fotografía. Por eso la sorpresa de Tita cuando le comentaron que su astrólogo estaba largando en los platós de ciertos programas fue de las que hacen historia. "¿Pero qué astrólogo?", preguntaba la baronesa alucinada con esos comentarios. Luego lo vio, recordó y todavía se sorprendió más cuando relacionó al auxiliar de fotografía con su supuesto asesor sentimental
>
> (...) Quien pensara que por esos mismos comentarios de romance Tita no iba a encontrarse con Báñez ha comprobado que no solo se han vuelto a encontrar sino que hasta comparten barco y cena casi familiares. "Javier es amigo mío y nos llevamos muy bien", me aseguró Tita en pleno run run de ese posible noviazgo. "No tengo planes de boda ni estoy enamorada, si algún día quiero casarme, pues lo haré y lo diré sin ningún problema", añadió.
>
> Si el barco de Tita es uno de los más buscados por los paparazzi desde luego que el barco de Valentino es uno de los más cotizados entre los que pretenden convertirse en mega chic de las costas...
>
> B. Cortázar, "Las vacaciones de Tita", *Guía de televisión de ABC.*

a. **El personaje central de este texto es la baronesa Thyssen, ¿de qué otras maneras se le llama también?**

b. **Este periodismo sobre los avatares sentimentales de la gente famosa es poco exigente en la forma y en el fondo. Ejemplo de lo primero es esa presencia de palabras y expresiones coloquiales que te hemos subrayado, defínelas.**

c. **Te habrás fijado en las comillas que en más de una ocasión aparecen, ¿para qué sirven?, ¿conoces alguna otra función suya?**

d. ***Si* y *es que* a menudo aparecen en una misma oración. A veces, como en el texto, cada uno en uno de los dos miembros de una oración compuesta ("Si algo ha aprendido en este último año la baronesa Thyssen es que hay que elegir muy bien a los amigos"). Otras veces juntos: *Si es que no es verdad, dímelo; Si es que todo te molesta...* ¿Qué es lo que tienen en común todos estos casos de *es que*?**

e. **En el texto se dan apariciones de si y sí, localízalas y analízalas.**

f. **Ahora analiza estos ejemplos de *si*:**

1 Si ha venido, me marcho.
2. Si ha venido, dímelo.
3. Pero, ¡si no he salido en todo el día!
4. Le han preguntado si han venido sus hermanos.
5. ¡Si no he sido yo!
6. Le dio por fin el sí.
7. ¡Vaya si lo ha hecho!

Claves

Unidad 10: El dinero

10.1. La transformación exige más cambios que la simple sustitución del conector. En todos los ejemplos hay un mandato seguido de una amenaza, representada por el segundo miembro que obligatoriamente será cronológicamente posterior. La presencia de *o*, que puede repetirse delante de cada miembro, altera el carácter positivo o negativo de la condicional con *si* que sirve de base. Esto se explica porque el primer miembro encierra un mandato directo de actuar en sentido contrario al hecho encabezado por *si*. Tal mandato se contrapone a la consecuencia expresada por el segundo miembro. Con *y* la orden es más indirecta: solo se enuncia una conducta y su consecuencia negativa.

1. Vuelve a amenazarme y tendré que tomar medidas.
No vuelvas a amenazarme o tendré que tomar medidas.

2. Sigue con la televisión tan alta y llamaré al conserje.
O bajas la televisión o llamo al conserje.

3. Sal sin jersey y te constiparás.
O sales con jersey o te constiparás.

4. No te traigas el diccionario y no podrás hacer el examen.
Te traes el diccionario o no podrás hacer el examen.

10.2. Con lo aprendido en el ejercicio anterior, confiamos en que este te haya resultado sencillo:

1. Si lo haces, verás.
2. Si me dejas el CD, yo te presto la videoconsola.
3. Si termino antes con este asunto, te llevaré (Hemos debido reordenar la oración, para que la consecuencia futura aparezca en segundo lugar).

10.3. Aparecen dos: *si* ("si el Sevilla inicia cualquier movimiento") y *de* + INFINITIVO ("de salir del Sevilla será para el Real Madrid").

10.4. Todas estas expresiones adverbiales restringen el alcance de la condición. *Solo* tiene un carácter exclusivo: la condición únicamente se da en este caso. En ese caso equivale a *únicamente, excepto* y *a salvo*. *Más, máxime, ni siquiera* y *sobre todo* restringen en el sentido de destacar la circunstancia que más favorece el cumplimiento o incumplimiento del hecho condicionado. La restricción de *al menos* o *por lo menos* consiste en señalar la condición mínima para el cumplimiento del suceso o situación condicionado.

1. **{Por lo menos/solo}** si hay ocho, podemos empezar el partido.
2. **Solo** si me pide perdón, haremos las paces.
3. No quiero ni verlo, **máxime** si anda por ahí diciendo esas cosas.
4. No la perdono, **{ni siquiera/solo}** si me pide disculpas.
5. No vas a aprobar, **sobre todo** si sigues sin centrarte.
6. No aprobarás **salvo** si te centras.

7. No quiero ni verlo y **más** si anda por ahí diciendo esas cosas (Aquí podría darse también **menos**).

8. Estoy enfadado con ella, **al menos** si se disculpara...

Un mismo suceso o situación puede percibirse de modo distinto, esto es especialmente claro en los ejemplos donde es posible más de una opción. Por ejemplo en *{Por lo menos/solo} si hay ocho,* podemos empezar el partido, *por lo menos* señala que con este número ya puede jugarse (es el mínimo), y *solo*, que si no se llega a este número, no hay partido. Cuestión de perspectiva. En nuestras respuestas no hemos señalado los ejemplos en que alternan expresiones sinónimas.

10.5. Todo lo que constituye un mensaje es comunicativo, también lo es, pues, las distintas maneras de ordenar sus palabras.

La anteposición convierte la subordinada condicional en el marco dentro del que hay que entender la información siguiente. *Si no me equivoco* advierte que *son las seis* es una información probablemente segura, pero no del todo. En los otros dos casos de anteposición, *si fuera domingo* y *de tener dinero* son dos supuestos irreales que convierten en imposibles ir al campo y hacer un viaje.

Estas mismas condicionales pospuestas constituyen una restricción inesperada (para el oyente son informaciones nuevas) de lo primero que han escuchado.

La anteposición o la posposición de la subordinada condicional dependen también del conector. Como has podido ver en el anterior 10.4. y en el próximo 10.12., cuanto más complejo es el conector (técnicamente, más pesado), más probabilidad hay que de que su subordinada se coloque detrás.

10.6. *Por lo menos* y *al menos* comparten la transmisión del contenido de 'como mínimo'. Cuando complementan a un numeral *(cinco, siete)* se indica que este designa la cantidad mínima segura, aunque sin descartar que el número sea mayor. Cuando complementan a toda la oración *(Por lo menos, Clara ha dejado la carrera; Al menos, queda la oportunidad de la vuelta),* se expresa que un determinado suceso se ha producido con seguridad, dentro de un conjunto de sucesos posibles. Es la información mínima segura, aunque es posible que se hayan producido más sucesos de ese conjunto (Clara ha podido irse de la ciudad, abandonar su familia...; puede que queden más oportunidades...).

En este segundo caso en que *por lo menos* y *al menos* complementan una oración entera, pueden desarrollar también un sentido de alivio resignado derivado de que, en un conjunto de posibilidades negativas, se ha dado el suceso más satisfactorio. "Dentro de lo malo, lo mínimamente malo y, por tanto, lo mejor".

Estos dos sentidos explican la ambigüedad de *Por lo menos, Clara ha dejado la carrera* y *Al menos, queda la oportunidad de la vuelta.*

10.7. La clave de que se comunique algo posible o irreal depende de que el imperfecto de subjuntivo se refiera al presente o al futuro. Referido al presente, el hecho es irreal; si se refiere al futuro, el hecho todavía puede suceder, con lo que deja de ser irreal.

1. Si termináramos el trabajo a tiempo, todavía podríamos salir a tomar algo. → es posible.

2. Si tuviera más fuerza, movería yo solo el mueble. → es irreal.

3. Si fuéramos más, alquilaríamos una furgoneta. → es imposible en estos momentos; aunque podría cambiar la situación y hacerse posible.

4. Si echaran una película buena el miércoles, íbamos al cine. → es posible.

10.8. Estos son los nuestros:

1. *Si bebes para animarte, acabas haciéndote un alcohólico.*

2. *Si no revisas el nivel del aceite, se te puede quemar el coche un día.*

3. *Si dejas todo el día el aparato encendido, el transformador sufre.*

4. *Si mientes, nadie te cree.*

5. *Si no tienes antivirus, te quedas sin ordenador.*

10.9. Estos son los nuestros:

1. *Si esto es un buen trabajo, la redacción de mi sobrino es el Quijote.*

2. *Si eso es una canción, Tamara es María Callas.*

3. *Si ese hotel es de cinco estrellas, mi casa es el Palacio de Versalles.*

4. *Si Juan trabaja, mi difunto abuelo es un pluriempleado.*

5. *Si esa chica es guapa, mi bisabuela es miss mundo.*

10.10. **1.** Si dejó la universidad fue porque le salió un gran trabajo.

2. Si no pudo volar fue porque no había billetes.

3. Si desea que pasen estos días en seguida es porque así llegan antes las vacaciones.

4. Si está muy alegre es porque ha ganado un premio en las quinielas.

5. Si no le dejaron entrar fue porque su visado estaba caducado.

10.11. Salvo en el primer ejemplo, donde tenemos una fórmula cortés y la continuación está bastante determinada, en los demás la respuesta es muy abierta.

Esta es nuestra propuesta:

1. Si quieres lavarte las manos, **el servicio está a mano derecha.**
2. Si no te importa, **quedamos un poco más tarde.**
3. Si he de serte sincero, **no me ha gustado tu trabajo.**
4. **Es por aquí**, si no me equivoco.
5. Si te gusta, **puedes probarlo.**

10.12. Fíjate que la transformación supone el cambio de orden (mira el ejercicio y las claves de 10.5.), el paso de indicativo a subjuntivo y la pérdida de la negación *no*. Así quedan:

1. Saldremos a las cinco, {**a menos que/a no ser que**} llamen a última hora.
2. Se celebrará la corrida a las cinco, {**a menos que/a no ser que**} el tiempo lo impida.
3. Me matricularé en la Escuela de Idiomas, {**a menos que/a no ser que**} me admitan en la universidad.
4. Nos quedaremos en casa, {**a menos que/a no ser que**} echen una película que merezca la pena.

La eliminación del *no* se justifica porque estos conectores encierran dentro de sí la negación al introducir la única circunstancia que impide el cumplimiento del hecho condicionado.

10.13. La transformación supone con esta nueva serie de conectores el cambio de orden y de modo verbal.

1. Te contratarán en esa empresa, {**a condición de que/con tal de que/siempre y cuando/siempre que**} hables bien francés.
2. Lo perdonaré, {**a condición de que/con tal de que/siempre y cuando/siempre que**} admita el error.
3. Te pasaré ese tono, {**a condición de que/con tal de que/siempre y cuando/siempre que**} tu móvil tenga *bluetooth*.
4. Vendrás al concierto, {**a condición de que/con tal de que/siempre y cuando/siempre que**} tengas cuarenta euros para la entrada.

Frente a *a menos que* o *a no ser que*, estos conectores poseen un carácter afirmativo. Indican la única condición que permitirá el cumplimiento de un determinado hecho. Con *a menos que* o *a no ser que* lo que se comunicaba era lo único que lo impediría. *A menos que* o *a no ser que* equivalen a *como no sea que* y la equivalencia de *a condición de (que), con tal (de) que* o *siempre {que/y cuando}* es con *solo si*.

10.14. Estas son las continuaciones que hemos imaginado:

1. Si él no es el culpable, **¿por qué lo acusas?**
2. Si no te gusta la carne, **¿por qué has pedido filete?**
3. Si quieres dejar de fumar, **¿por qué llevas una cajetilla en el bolso?**
4. Si hoy es domingo, **¿cómo va a estar abierta la tienda?**
5. Si no tiene dinero, **¿de dónde va a sacar los veinte euros del libro?**

10.15. Habrás visto que hay dos enunciados con un final abierto suspendido y otros dos completos y con una entonación exclamativa. Todos ellos se explican dentro de las intervenciones que surgen a lo largo de una conversación.

1. Si tu padre levantara la cabeza... (recordatorio a alguien para desaprobar su conducta). → Si tu padre levantara la cabeza, *no te portarías así.*
2. Si las piedras hablaran... (reflexión personal acerca de la cantidad de secretos que encierran los muros de un edificio). → Si las piedras hablaran, *muchos no serían considerados tan héroes.*
3. ¡Si estoy enfermo! (reacción de disgusto ante una injusta petición del interlocutor, que no ha reparado en la enfermedad del hablante). → ¡Si estoy enfermo!, *¿por qué me acusas de vago?*
4. ¡Si lo he entregado! (reacción de disgusto ante una acusación injusta). → ¡Si lo he entregado!, *no me acuses sin motivo.*

10.16. Salvo en el primer ejemplo, muestra de un famoso refrán, la respuesta es libre:

1. Con *pan y vino,* se anda el camino (basta con estos alimentos básicos para andar por la vida).
2. Sin *conocer los intereses de la gente,* nadie te escuchará.
3. Con *ese comportamiento,* no irás a ninguna parte.
4. Sin *más dedicación,* no terminarás nunca el trabajo.
5. Con *esa constancia en el trabajo,* acabarás hablando español como un nativo.

10.17. Todo el ejercicio gira en torno a la distinción entre condicionales (transmiten una condición cuyo cumplimiento supone la realización de la oración principal) y concesivas (transmiten un suceso o situación que no produce el efecto esperado). El ejercicio te habrá hecho ver que hay que entender bien los enunciados para poder decidir en cada caso si hay condición o concesión.

1. Lo haría si pudiera (condicional)./Lo haría si bien no puede (concesiva, 'lo haría aunque no puede').

2. Estando ella, me encontraría más tranquilo (condicional, 'si estuviera ella, me encontraría más tranquilo')./Ni estando ella, me encontraría más tranquilo (concesiva, 'aunque esté ella, no me encuentro más tranquilo').

3. Asistiré al curso, de ir Margarita (condicional, 'si va Margarita, iré al curso')./¿Asistirás al curso, de ir Margarita? (concesiva, '¿aunque vaya Margarita, asistirás al curso?').

10.18. Como te habrás imaginado, no significan lo mismo:

1. Se preocuparía más, de haberlo sabido ('Si lo hubiera sabido, se preocuparía más').

2. Se preocuparía más de haberlo sabido (*de haberlo sabido* es un complemento regido de *preocuparse*). Este segundo enunciado está incompleto, podía añadírsele: *si se le hubiera dicho*. Con lo que quedaría: *Se preocuparía más de haberlo sabido, si se le hubiera dicho.* Hasta habría sido posible el aparentemente chocante: *Se preocuparía más de haberlo sabido, de haberlo sabido.* Piensa este último ejemplo.

10.19. Estas son las respuestas que te proponemos:

1. En el caso de que aprobases, *te dejaría irte con tus amigos el fin de semana.*

2. En el supuesto de que haya todavía mesas libres, *saldríamos a cenar esta noche.*

3. Supongamos que no llama, *tendríamos que volvernos.*

4. Pongamos que es solo una broma, *deberíamos entonces olvidar sus palabras.*

10.20. a. La española **Carmen "Tita" Cervera** se convirtió en la baronesa von **Thyssen** tras su matrimonio con un aristócrata alemán.

b. Destinado a un público muy amplio, que incluye los sectores menos cultivados de la población; este periodismo emplea a menudo expresiones coloquiales e incluso vulgares, desconocidas en los géneros periodísticos serios, como no sea por alguna razón de estilo.

- *Lo más jet de la auténtica jet:* La *jet set* fue una expresión que se popularizó en los años ochenta para designar esa clase social alta, formada por aristócratas y personajes famosos del espectáculo, de los que se hablaba en un principio de forma casi exclusiva en las páginas del corazón. La construcción superlativa *lo más jet de la auténtica jet* significa 'la jet más auténtica'.
- *Para nada:* Es una forma de rechazo propia de la lengua coloquial. El rechazo es absoluto, pero no es una negación descortés, dada su orientación habitualmente favorable hacia los intereses del interlocutor (A: -¿Me ves más gorda? B: -Qué va, para nada).
- *Largar:* Vulgarmente, 'hablar inmoderada e indiscretamente, generalmente, en contra de alguien'. Un sinónimo también vulgar es *rajar*, de donde se deriva el nombre *rajada* (discurso con estas características negativas), popular en el vocabulario de los periodistas futbolísticos para calificar al hecho de que alguien del fútbol critica sin inhibiciones a alguna otra persona de ese mundo.
- *Alucinado/a:* Palabra del mundo de las drogas, muy común hoy día en la lengua hablada para referirse a cómo se queda alguien tras experimentar la sorpresa producida por una situación o suceso absurdos.
- *Run run:* Forma onomatopéyica para referirse de modo inconcreto, lo que es una forma de desprestigiarlo, a algún rumor o habladuría.
- *Paparazzi:* 'Informadores sin escrúpulos que se dedican al periodismo del corazón, especialmente, a su vertiente más escandalosa'. Es una denominación claramente negativa, que tiene su origen en la película italiana *La dolce vita* de Fellini.
- *Chic:* Es una palabra que desde los años sesenta se ha empleado para aquello que está de moda. Actualmente, es más usado otro anglicismo, *fashion*. *Mega*, variante humorística de *super-*, es un prefijo con el que se caracteriza el habla de muchos de estos personajes del corazón, en su mayoría femeninos y pertenecientes a la clase social alta.

c. Como las letras cursiva (itálica) y redonda, las comillas sirven para resaltar una palabra, una oración y, a veces, porciones más extensas de texto. A menudo, como en el fragmento, indican que estamos ante una cita literal. A veces, también comunican que esa palabra u oración (con una unidad mayor es más difícil) posee un carácter especial: se ha escrito o pronunciado mal (El niño se comió una "mondarina"), es extranjera o hay que tomarla irónicamente y no en su sentido literal (Con amigos "tan buenos", no necesito enemigos).

d. *Es que* es la suma de la cópula *ser* más la conjunción *que* empleada para introducir un atributo de un sujeto casi siempre omitido: *(El hecho) es que todavía no he terminado.* Esta ausencia habitual del sujeto ha acabado convirtiéndolo en un conector que sirve para introducir justificaciones y excusas:

► ¿No vienes?

▷ *Es que* todavía no he terminado.

Aunque siempre sea posible recordar la estructura copulativa original: *(El hecho) es que todavía no he terminado.*

Este origen común es lo que une las muestras de *es que*. En el ejemplo del texto, la oración copulativa se mantiene en esta condicional explicativa: "Si algo ha aprendido en este último año la baronesa Thyssen es (el hecho cierto de) que hay que elegir muy bien a los amigos". En los casos de *si es que* juntos sigue siendo posible pensar en la oración copulativa originaria: *si (el hecho) es que no es verdad...;* pero lo más interesante es que en estas oraciones el hablante parece recoger una justificación o excusa, propia o ajena, para llegar a alguna conclusión:

A: –¿Por qué no me dices algo?
B: –*Si es que todo te molesta.*

Parece que A se hace eco de un argumento común en B, para llegar a alguna conclusión que se deja implícita (en este caso; "por eso no te digo nada").

e. Existen cuatro clases de SI claramente delimitadas. Ponemos entre paréntesis los ejemplos del texto:
Sí adverbio afirmativo: –¿Vienes? –*Sí.* ("Sí como ayudante de fotografía").
Sí nombre, 'respuesta afirmativa": Ya tengo el *sí* de mi novia.
Si conjunción condicional: *Si* no vienes, avisa. ("Si algo ha aprendido en este último año...", "Si algún día quiero casarme...", "Si el barco de Tita...")
Si conjunción interrogativa indirecta: Cuéntame *si* van a venir todos.

f.
1. Si ha venido, me marcho. → condicional.
2. Si ha venido, dímelo. → interrogativa indirecta (*Dime si ha venido, dímelo.* Recuerda que la anteposición del objeto directo, o indirecto, exige su copia por medio de un pronombre átono. Es lo que sucede aquí).
3. Pero, ¡si no he salido en todo el día! → condicional (*pero* inicia una réplica en la que se introduce una condicional que enfatiza una información con el fin de rechazar algo previo, comunicado por el interlocutor. Recuerda los dos últimos ejemplos de 10.15.).
4. Le han preguntado si han venido sus hermanos. → interrogativa indirecta.
5. ¡Si no he sido yo! → condicional (como en el ejemplo de *pero*, se enfatiza una información para rechazar algún supuesto sostenido por el interlocutor).
6. Le dio por fin el sí. → nombre.
7. ¡Vaya si lo ha hecho! → condicional/interrogativa indirecta (estamos ante una oración derivada surgida como reacción a otra previa que en el ejemplo podrían ser la condicional: *Si lo ha hecho, habrá que premiarlo;* o la interrogativa indirecta: *No sé si lo ha hecho*. En todo caso, el hablante defiende con la entonación y con *vaya* la verdad de lo que el interlocutor ha puesto en duda, en forma de hipótesis o interrogación. Este *si* está muy próximo al *sí* adverbio de afirmación).

Unidad 11: La mitología

Oraciones causales y finales

11.1. Contesta a este breve interrogatorio en el que se te pregunta por algunos *porqués* y *para qué* de tu vida:

1. ¿Por qué has escogido esta lengua?
2. ¿Por qué has venido a España?
3. ¿Para qué quieres estos estudios?
4. ¿Por qué no te hablas con ese compañero?
5. ¿Por qué te aburre la gramática?
6. ¿Por qué no te gustan algunos barrios de la ciudad?

11.2. La pregunta siempre es un acto que entraña cierto riesgo, que aumenta en la medida en que la pregunta afecte a la esfera personal del destinatario y no exista confianza. Con este dato, ¿te parecen muy corteses estas dos preguntas?, ¿por qué? (mira lo que se comenta en el ejercicio siguiente).

1. ¿Por qué no has venido a la fiesta?
2. ¿Cómo es que no has venido?

¿Te parece alguna especialmente descortés? Intenta preguntar acerca de esto mismo de una manera más educada.

11.3. Podemos seguir pensando por los motivos de que una pregunta resulte molesta. Uno de ellos es que con frecuencia una interrogación más que pedir una información que se ignora, manifiesta un estado anímico de sorpresa indignada o crítica. Es lo que sucede con algunas expresiones fijas como: *¿será posible?, ¿de qué vas?,* que se pronuncian con una entonación peculiar, cercana a la exclamación. Pon tú ahora tres ejemplos de interrogaciones para manifestar tales estados anímicos negativos.

11.4. Utiliza estos conectores y expresiones *(es que, si es que, lo que pasa es que, la lástima es que)* para crear con cada uno un enunciado en que te justifiques por no responder del modo que hubiera preferido tu interlocutor. Necesitarás valerte de un pequeño diálogo:

► ¿Puedes acercarme a casa?
▷ *Es que* no me he traído el coche.

11.5. Los españoles tenemos fama de excusarnos mucho, con excusas en las que lo fundamental no lo constituye la petición directa del perdón, sino una *historia* tendente a eliminar la responsabilidad propia y a hacerla recaer en un tercero. Para entender esta idea puede ayudar este ejemplo literario. La situación es una fiesta de la alta sociedad, la anfitriona recibe a un matrimonio amigo que llega tarde:

– Pensábamos que no vendríais –dijo la señora de Savolta estrechando la mano del recién llegado y besando en ambas mejillas a la esposa de este.

– Son manías de Neus –respondió el señor Claudedeu señalando a su mujer–. En realidad, hace una hora que podríamos haber llegado, pero insistió en demorarnos para no ser los primeros. No le parece de buen tono, ¿eh?

E. Mendoza, *La verdad sobre el caso Savolta.*

El ejercicio que se propone es presentar tres posibles excusas ante un hecho tan habitual como llegar tarde *(Lo siento: el tráfico está horrible).*

11.6. **Rellena con el conector causal más adecuado *(como, gracias a, a fuerza de, considerando, porque, de tanto, por culpa de)* los huecos existentes en los siguientes enunciados:**

1. .... quejarse, al final cansa.
2. .... insistir lo ha conseguido.
3. .... su mala cabeza ha acabado así.
4. .... que la ley prohíbe explícitamente esos actos, el juez lo condenó.
5. .... los esfuerzos de su madre, esa chica ha conseguido aprobar.
6. .... no me escuchas, me voy.
7. No me han renovado el contrato .... mi jefe no ha querido.

11.7. **Sustituye los conectores finales más estándar o más propios del coloquio por estos otros más formales *(con vistas a que, a fin de que, con el propósito de que, con la finalidad de que, con el objeto de que)*:**

1. Vengo *a que* me explique la nota.
2. Trabajó duro *para que* lo hicieran fijo.
3. Se acercó *a* ver qué había pasado.
4. Estate quieta, *que* pueda sacarte la foto.
5. Le he comprado un móvil a mi abuela *para que* esté siempre localizada.

11.8. **Haz lo mismo con el conector causal *porque* de este fragmento (del que podías hacer un resumen):**

> Yo diría que Gregorio Marañón tenía un carácter aparentemente negativo, consistente en una radical falta de asco a la realidad. En el intelectual, en el artista, ese asco –en alguna medida justificado– es frecuente. Creo que es una tentación de las más sutiles y peligrosas, precisamente porque no carece de motivos y aun de buenos motivos. Pienso que esta condición le venía a Marañón de su esencial condición de médico. Porque el ejercicio de la medicina no tolera el asco a ninguna forma de realidad, el médico se acerca a la ambigua realidad del nacimiento, que mezcla lo más tierno con lo atroz; a la fea erupción cutánea; al hondo, invisible tumor visceral que opera silencioso su siniestra función; a la locura y al sinsentido; a la muerte misma.
>
> J. Marías, *Al margen de estos clásicos.*

Define los adjetivos subrayados con la ayuda del contexto.

11.9. **Las finales y las causales (estas últimas, sobre todo en la lengua coloquial) pueden construirse con infinitivo:**

Trabajo duro para convertirme en empresario.
No fui por tener muchas obligaciones.

¿Cuál es la regla que rige la aparición en estos casos del infinitivo?

De acuerdo con esa regla que te llevará a algunos ajustes, convierte los siguientes ejemplos en causales y finales con infinitivo:

1. Viajó para que sus padres lo vieran.
2. Me duele la cabeza porque esta noche he dormido muy poco.
3. Fue a la playa para que sus hijos tomaran el sol.

11.10. **Rellena adecuadamente los siguientes espacios con las preposiciones *por* y *para*:**

1. Estoy .... volverme a casa, de lo mal que estás portándote.
2. María está .... Antonio.
3. Le dio un aviso .... su hermano.

4. Le aconsejaron .... prudencia que guardara cama, ... así evitar una recaída.
5. Siempre se ha preocupado .... todo el mundo, mientras que nunca ha reclamado nada .... sí.
6. Le ha dado ahora .... esta nueva manía, ¡está .... que la encierren!
7. Te toman .... el pito del sereno, ... que otra vez vuelvas a dar confianza a quien no debes.

11.11. **El siguiente es un fragmento de un cuento de Almudena Grandes. Los párrafos aparecen desordenados; léelos por encima para poder ordenarlos y después lee el texto detenidamente para poder rellenar los espacios en blanco con *por* o *para*.**

Claro, que lo peor todavía estaba .... llegar. Lo peor no mediría más de un metro cincuenta y siete, tenía la cara atiborrada de rasgos, se llamaba Néstor Roberto y ¡era salvadoreño! ¿Se lo pueden imaginar? ¡Salvadoreño! ¿Puede una madre europea conservar la calma cuando su única hija se lía con un salvadoreño? .... eso le dije a Marianne que tenía que elegir. Y eligió. Y se fue de casa con el salvadoreño. Durante los siguientes tres años solo la veía algún domingo .... comer. Reconozco que mi vicio aumentó –me pasé al coñac, dejé de imponerme un límite diario, me enchufaba alguna que otra copa .... las mañanas–, pero el vicio de mi hija empeoró mucho más intensamente que el mío. Después del salvadoreño vino un paquistaní, tras el paquistaní un argelino, y terminó abandonando a aquel moro .... un terrorista –activista, decía ella– norteamericano del Black Power. Y me llamó .... contarme que se marchaba con él en moto, hasta Moscú, de vacaciones.

Y los días pasaban, Marianne mejoraba, y su carácter volvía a ser el de antaño, dócil y manso, dulce y sumiso, yo le metía en la boca aquellas pastillas maravillosas y ella me sonreía con los ojos en blanco, y ya no discutíamos, y dormía muchísimas horas, como cuando era un bebé, y .... las noches se sentaba a mi lado .... ver la televisión, y todo le parecía bien, las dos unidas y felices otra vez, igual que antes.

Es ella, ¿no se acuerdan?, mi hija Marianne, la jovencita que está a mi lado en esta diapositiva, la misma... A ver, voy a quitarme de delante .... que la vean mejor... Claro, si ya sabía yo que la recordarían, con la de disgustos que me ha dado durante tantos años, un quebradero de cabeza perpetuo. .... su culpa sigo yo viniendo a estas reuniones todos los lunes y jueves. Y no saben lo mona que era de pequeña, pero monísima, de verdad, alegre, dócil, ordenada, obediente. Cuando era bebé y la sacaba en su cochecito .... dar un paseo .... la avenida todas las señoras se paraban a admirarla. De más mayorcita, en el colegio, era una alumna ejemplar, todas las maestras lo decían.

En estas circunstancias, comprenderán ustedes que el accidente fue un regalo de Dios. Marianne volvía a estar en casa, en su cama, rodeada de sus muñecos, con el camisón celeste que yo le hice, igual, igual, igual que cuando era una niña, aunque con todos los huesos rotos. Cuando estaba dormida, me sentaba a su lado, ... mirarla, y me sentía tan feliz que me tomaba una copa .... celebrarlo. Cuando estaba despierta, se quejaba constantemente de unos dolores tremendos, y yo no podía soportarlo, así que me tomaba otra copa, ... darme fuerzas, y le daba un par de pastillas más. El médico se ponía pesadísimo, me lo había advertido un centenar de veces, que era peligroso sobrepasar la dosis, que aquellos calmantes creaban adicción, pero, claro, ¡qué sabrán los médicos del dolor de una madre...!

Al llegar a la adolescencia empezó a torcerse, esa es la verdad. Antes de cumplir los veinte años ya me montaba unas escenas atroces, y se ponía como una fiera, chillando, pataleando, qué apuro, todos los vecinos la escuchaban, ... mí era tan violento... Al final cogía la puerta y salía sin permiso, gritando que ya estaba harta de que no la dejara hacer nada, ¿se lo pueden creer? Y a mí me daba .... llorar, porque... ¡qué ingratos pueden llegar a ser los hijos! Creo que fue entonces cuando empecé a permitirme alguna que otra copita, lo confieso, sé que no está nada bien, pero Marianne estaba ahí fuera, ... las calles, rodeada de peligros, y yo no podía vivir, esa es la verdad. Con la cantidad de violadores que hay, y asesinos, y drogadictos, y extranjeros, que no hay derecho, criar a un ángel .... que luego viva en el infierno... En fin, que era un no vivir, y fíjense que lo intenté todo, todo, ... retenerla, pero nada funcionaba.

Almudena Grandes, *Amor de madre*.

Después de estas tareas, responde a las siguientes preguntas:

a. **¿Le importa a la madre la opinión de los demás, el "qué dirán"? Busca al menos una prueba en el texto que justifique tu respuesta.**
b. **¿A qué tipo de reuniones acude la madre todos los lunes y jueves?**
c. **¿Es la madre racista o xenófoba? ¿Cómo lo sabes?**
d. **¿Qué suceso provoca que la hija vuelva a casa?**
e. **¿Cómo es el comportamiento de la hija a partir de ese momento y a qué se debe?**
f. **¿Cómo explicas el título del cuento?**

11.12 **Lee el siguiente poema del escritor uruguayo Mario Benedetti:**

Tus manos son mi caricia,
mis acordes cotidianos;
te quiero **porque** tus manos
trabajan por la justicia.

Si te quiero es **porque** sos
mi amor mi cómplice y todo.
Y en la calle codo a codo
somos mucho más que dos.

Tus ojos son mi conjuro
contra la mala jornada;
te quiero **por** tu mirada
que mira y siembra futuro.

Tu boca que es tuya y mía,
tu boca no se equivoca;
te quiero **porque** tu boca
sabe gritar rebeldía.

Si te quiero es **porque** sos
mi amor mi cómplice y todo.
Y en la calle codo a codo
somos mucho más que dos.

Y **por** tu rostro sincero.
Y tu paso vagabundo.
Y tu llanto por el mundo.
Porque sos pueblo te quiero.

Y **porque** amor no es aureola,
ni cándida moraleja,
y **porque** somos pareja
que sabe que no está sola.

Te quiero en mi paraíso;
es decir, que en mi país
la gente viva feliz
aunque no tenga permiso.

Si te quiero es **porque** sos
mi amor, mi cómplice y todo.
Y en la calle codo a codo
somos mucho más que dos.

Mario Benedetti, *Te quiero*.

a. **En el poema aparece algún fenómeno característico del español de Uruguay, ¿podrías identificarlo y buscar su equivalencia en el español peninsular?**
b. **Como habrás podido observar, en el texto aparecen repetidas veces los conectores causales *porque* y *por*. Te animamos a que deformes este bello poema sustituyéndolos por otros conectores causales evitando repeticiones.**
c. **Redacta un breve escrito en prosa hablándonos de una persona a quien ames o admires y explicando el porqué.**

Claves

Unidad 11: La mitología

11.1. Las respuestas son evidentemente libres, aunque seguro que habrás experimentado que en el momento que se contesta se entra un poco en el juego de quien pregunta. Este, a través del modo en que la formula, ya condiciona bastante la respuesta y te obliga a admitir un estado de cosas.

El ejercicio podría ser aún más interesante, y difícil, si comprobaras en qué casos es posible contestar con algún conector que no sea *porque* o *para que*. Si te animas, observarás que *porque* puede aparecer en cualquiera de las respuestas que empiezan con *por qué*, dado su carácter de conector causal general para la expresión de cualquier causa, mientras que los demás conectores causales están sujetos a diversas restricciones.

11.2. Ninguna de las dos preguntas es cortés, son demasiado directas. Entre otras razones, porque incluyen la afirmación de que el interlocutor no ha ido a la fiesta, lo que puede entenderse en este contexto como una acusación; y porque ambas conllevan la exigencia de dar una explicación. De las dos, la pregunta con *cómo es que* es la más incorrecta, porque estas preguntas están especializadas en la formulación de reproches (*¿Cómo es que te has puesto ese traje?*). Con *por qué* esto no sucede, para que encierre un reproche necesita más ayuda del contexto.

Dado que las dos preguntas, una más que otra, son inconvenientes, lo más prudente es, entonces, no preguntar. Sin embargo, como el ejercicio nos obliga a ello, la solución es reformular la pregunta de tal modo que se suprima la obligación explícita, propia de los acusados, de explicar un comportamiento. *¿No pudiste venir a la fiesta, verdad?*, podría ser una buena opción, pues en ella se da por sentado que el interlocutor no asistió porque no pudo y a este le basta con un simple no, más o menos justificado. Si persistiéramos en la indagación de los porqués, la cortesía exigiría entonces alguna expresión que disminuya la violencia de la pregunta: *Si no te importa, me gustaría saber; Perdona la indiscreción, pero es que quería saber* o cualquier otra de este estilo.

11.3. Estos son nuestros tres ejemplos: *¿Habrase visto semejante caradura?* (esta construcción que suena arcaica es relativamente corriente en estos mensajes), *¿Otra vez tarde?, ¿Has venido de nuevo sin el libro?*

11.4. Este ejercicio habrá exigido de ti algún esfuerzo de imaginación, que te habrá hecho reflexionar acerca de que decir *no* exige normalmente alguna justificación o excusa. A no ser que uno sea muy fuerte o/y muy maleducado.

► *¿Tomamos un café?*
▷ ***Es que*** *me esperan en casa.*

► *¿No vienes?*
▷ ***Si es que*** *me duele la cabeza.*

► *¿Has traído el dinero?*
▷ ***Lo que pasa es que*** *no funcionaba el cajero.*

► *¿Irás al cumpleaños de Oriane?*
▷ *Me gustaría,* ***la lástima es que*** *tengo una reunión a esa hora.*

Fíjate en que en todas las respuestas, la negación está implícita.

11.5. Seguimos con las excusas, aunque como decía John Wayne en *La legión invencible* de John Ford, "no te justifiques, que es señal de debilidad". Estas serían las nuestras: *Perdona, pero el tráfico estaba horrible; No te lo vas a creer, pero he tardado una hora en llegar; Este alcalde va a terminar conmigo con tantas obras, perdona la tardanza.*

11.6. Así quedarían los enunciados una vez rellenos los huecos:

1. **De tanto** quejarse, al final cansa.
2. **A fuerza de** insistir lo ha conseguido.
3. **Por culpa de** su mala cabeza ha acabado así.
4. **Considerando** que la ley prohíbe explícitamente esos actos, el juez lo condenó (este gerundio es muy característico en los escritos judiciales, como las sentencias).
5. **Gracias a** los esfuerzos de su madre, esa chica ha conseguido aprobar.
6. **Como** no me escuchas, me voy.
7. No me han renovado el contrato **porque** mi jefe no ha querido.

Observa la colocación, en los dos últimos ejemplos, de las dos oraciones causales. Con *como* delante y con *porque* detrás.

11.7. De todos ellos el más corriente y el que puede aparecer en todos los ejemplos es *a fin de que*. Los demás tienen un uso más restringido. De todos modos, son básicamente sinónimos, por lo que en la mayoría de los casos podría haber aparecido cualquier otro en vez del seleccionado:

1. Vengo **con el objeto de que** me explique la nota.
2. Trabajó duro **con el propósito de que** lo hicieran fijo.
3. Se acercó **con la finalidad de** ver qué había pasado.
4. Estate quieta, **a fin de que** pueda sacarte la foto.
5. Le he comprado un móvil a mi abuela **con vistas a que** esté siempre localizada.

11.8. En el fragmento, Julián Marías (un ilustre pensador, discípulo de Ortega y Gasset) comenta un rasgo del carácter de Gregorio Marañón (extraordinario médico, que destacó también como ensayista e historiador): frente a lo que le sucede a tantos intelectuales y artistas, ningún aspecto de la realidad le repugnaba, por muy desagradable que fuera. Tal aspecto de su personalidad tenía mucho que ver con su profesión médica.

Así quedarían las sustituciones:

- Creo que es una tentación de las más sutiles y peligrosas, precisamente **por el hecho de que** no carece de motivos...
- **Ya que** el ejercicio de la medicina no tolera el asco a ninguna forma de realidad, el médico se acerca...

– Radical: 'Fundamental, perteneciente al núcleo de algo o alguien'.
– Sutil: 'Agudo, delicado, difícil de detectar '.
– Ambigua: 'Con más de un sentido, confusa'.
– Cutánea: 'De la piel'.
– Visceral: 'Relativo a las vísceras (corazón, hígado...)'.
– Siniestra: 'Maligna, torcida'.

11.9. Como dice el Libro del alumno, pág. 191, con alguna leve excepción, el infinitivo de la oración final aparece cuando su sujeto coincide con el de la principal *(Se levantó para ver mejor)*. En las causales, esta regla funciona mucho más limitadamente *(Se levantó porque quería ver mejor.* → *Se levantó por ver mejor, Se le secó el cerebro porque leyó mucho.* → *De tanto leer se le secó el cerebro)*. Además, en las causales es más factible que no haya esa coincidencia entre ambos sujetos *(Por estar haciendo el tonto el hijo, multaron a su padre)*, lo que es característico con algunas locuciones *(A fuerza de llover, se inundó el campo; De tanto llorar, se nos levantó dolor de cabeza)*.

Así quedarían los tres enunciados de finales y causal con infinitivo; para ello, en las dos finales hemos debido introducir un nuevo sujeto que coincidiera con el de la principal, y con él un verbo.

1. Viajó para **permitir** que sus padres lo vieran.
2. Me duele la cabeza por **haber dormido** esta noche muy poco.
3. Fue a la playa para **hacer** que sus hijos tomaran el sol.

11.10. Rellenamos los huecos. Lo final y lo causal constituyen el punto de referencia clave para decidir entre el empleo de *para* y *por*, respectivamente. Como esto exige a veces mucha abstracción, es muy práctico aprenderse ciertos usos habituales con una u otra preposición (como el régimen de ciertos verbos):

1. Estoy **por** volverme a casa ('estoy a punto de...'), de lo mal que estás portándote.
2. María está **por** Antonio (uso coloquial, propio del habla juvenil, para referirse a que alguien se interesa afectivamente por otro).
3. Le dio un aviso **para** su hermano.
4. Le aconsejaron **por** prudencia que guardara cama, **para** así evitar una recaída.
5. Siempre se ha preocupado **por** todo el mundo, mientras que nunca ha reclamado nada **para** sí.
6. Le ha dado ahora **por** esta nueva manía, ¡está **para** que la encierren!
7. Te toman **por** el pito del sereno ('no te toman en serio'), **para** que otra vez vuelvas a dar confianza a quien no debes.

11.11. Ordenamos los párrafos y elegimos la preposición. Observa que *por* es la de mayor uso, no limitado solo a la expresión de la causa, y es en los casos de coincidencia la que invade el territorio de *para*:

Es ella, ¿no se acuerdan?, mi hija Marianne, la jovencita que está a mi lado en esta diapositiva, la misma... A ver, voy a quitarme de delante **para** que la vean mejor... Claro, si ya sabía yo que la recordarían, con la de disgustos que me ha dado durante tantos años, un quebradero de cabeza perpetuo. **Por** su culpa sigo yo viniendo a estas reuniones todos los lunes y jueves. Y no saben lo mona que era de pequeña, pero monísima, de verdad, alegre, dócil, ordenada, obediente. Cuando era bebé y la sacaba en su cochecito

para dar un paseo **por** la avenida todas las señoras se paraban a admirarla. De más mayorcita[1], en el colegio, era una alumna ejemplar, todas las maestras lo decían.

Al llegar a la adolescencia empezó a torcerse, esa es la verdad. Antes de cumplir los veinte años ya me montaba unas escenas atroces, y se ponía como una fiera, chillando, pataleando, qué apuro, todos los vecinos la escuchaban, **para** mí era tan violento... Al final cogía la puerta y salía sin permiso, gritando que ya estaba harta de que no la dejara hacer nada, ¿se lo pueden creer? Y a mí me daba **por** llorar, porque... ¡qué ingratos pueden llegar a ser los hijos! Creo que fue entonces cuando empecé a permitirme alguna que otra copita, lo confieso, sé que no está nada bien, pero Marianne estaba ahí fuera, **por** las calles, rodeada de peligros, y yo no podía vivir, esa es la verdad. Con la cantidad de violadores que hay, y asesinos, y drogadictos, y extranjeros, que no hay derecho, criar a un ángel **para** que luego viva en el infierno... En fin, que era un no vivir, y fíjense que lo intenté todo, todo, **para** retenerla, pero nada funcionaba.

Claro, que lo peor todavía estaba **por** llegar. Lo peor no mediría más de un metro cincuenta y siete, tenía la cara atiborrada de rasgos, se llamaba Néstor Roberto y ¡era salvadoreño! ¿Se lo pueden imaginar? ¡Salvadoreño! ¿Puede una madre europea conservar la calma cuando su única hija se lía con un salvadoreño? **Por** eso le dije a Marianne que tenía que elegir. Y eligió. Y se fue de casa con el salvadoreño. Durante los siguientes tres años solo la veía algún domingo **para** comer. Reconozco que mi vicio aumentó –me pasé al coñac, dejé de imponerme un límite diario, me enchufaba alguna que otra copa **por** las mañanas–, pero el vicio de mi hija empeoró mucho más intensamente que el mío. Después del salvadoreño vino un paquistaní, tras el paquistaní un argelino, y terminó abandonando a aquel moro **por** un terrorista –activista, decía ella– norteamericano del Black Power. Y me llamó **para** contarme que se marchaba con él en moto, hasta Moscú, de vacaciones.

En estas circunstancias, comprenderán ustedes que el accidente fue un regalo de Dios. Marianne volvía a estar en casa, en su cama, rodeada de sus muñecos, con el camisón celeste que yo le hice, igual, igual, igual que cuando era una niña, aunque con todos los huesos rotos. Cuando estaba dormida, me sentaba a su lado, **para** mirarla, y me sentía tan feliz que me tomaba una copa **para** celebrarlo. Cuando estaba despierta, se quejaba constantemente de unos dolores tremendos, y yo no podía soportarlo, así que me tomaba otra copa, **para** darme fuerzas, y le daba un par de pastillas más. El médico se ponía pesadísimo, me lo había advertido un centenar de veces, que era peligroso sobrepasar la dosis, que aquellos calmantes creaban adicción, pero, claro, ¡qué sabrán los médicos del dolor de una madre...!

Almudena Grandes, *Amor de madre.*

Vamos ahora con la solución a las preguntas puestas para que hayas aprovechado bien la lectura:

a. Sí que parece importarle la opinión de los demás. Los mejores recuerdos que tiene de su hija están asociados a la admiración que esta despertaba de niña ante señoras y maestras. Y, al revés, los peores están asociados a la adolescencia y juventud de Marianne, en que su conducta empieza a dar que hablar. A la adolescencia de la chica corresponde este representativo párrafo:
Antes de cumplir los veinte años ya me montaba unas escenas atroces, y se ponía como una fiera, chillando, pataleando, qué apuro, todos los vecinos la escuchaban, para mí era tan violento...
De todas formas, las personalidades humanas son complejas y a veces se destruyen tanto que pierden toda autoestima. Y esta mujer tan mirada acaba dándole pastillas, seguro que con alguna droga, a su hija en contra de la opinión reiterada del médico.

b. No se indica de modo explícito; pero, dada su afición a la bebida, no es aventurado pensar que es alguna reunión de alcohólicos.

c. La madre encarna un estereotipo racista, xenófobo y elemental intelectualmente. Lo sabemos por sus palabras. "Con la cantidad de violadores que hay, y asesinos, y drogadictos, y extranjeros". Son muy indicativas las líneas que dedica al primer novio salvadoreño, o que use el políticamente incorrecto *moro* para referirse a un musulmán.

d. El suceso que propicia la vuelta al hogar de Marianne es un accidente, seguramente producido en el viaje en moto a Moscú con el novio americano "terrorista del Black Power".

e. Para la madre, Marianne vuelve a ser la niña de antes, que duerme en la cama, "rodeada de sus muñecos, con el camisón celeste". En realidad, una persona postrada con múltiples fracturas.

f. Todo el fragmento gira alrededor del amor obsesivo por una hija. Por el modo en que habla la madre, comprendemos el desequilibrio de su amor y las consecuencias en la hija.

---

[1] La norma prescribe el uso de *más* delante de los comparativos *(mayor, menor, mejor, peor, superior, inferior),* porque estas formas por herencia del latín contienen en su significado un *más (mayor* = 'más grande'). No obstante, y aquí tienes un ejemplo, con *mayor* es muy corriente el empleo de *más* cuando significa 'de más edad'.

11.12. Mario Benedetti es un escritor muy reconocido en España, donde en los últimos tiempos, al hilo del pensamiento dominante, ha recibido importantes premios y algunos de sus poemas han sido convertidos en canciones bastante populares. Vamos con las cuestiones:

a. En todo el poema está presente un rasgo del español uruguayo, en realidad, rioplatense (y, con variantes, de otras áreas del español americano), tan característico como es el voseo. Lo curioso es que aquí se manifiesta a través de la forma sos (= *sois*, por 'eres'), en vez de por el empleo del pronombre *vos* en lugar de *tú*. *Vos* no aparece porque, como sujeto, se halla omitido. Para entender esta relación debes tener en cuenta que el voseo se encuentra asociado, en el Río de la Plata, al empleo de ciertas formas para la segunda persona *(tenés, cantás...)*. El voseo en América es un rasgo algo vulgar, excepto en la Argentina donde se emplea con toda normalidad, como un signo nacional. Así lo emplea también el uruguayo Benedetti.

b. Como bien saben los creadores, cualquier alteración en la forma de un poema influye en el resultado final de este. A nosotros no nos importará que esto ocurra, nos basta con que se mantengan la gramaticalidad y el contenido básico del texto.

Tus manos son mi caricia,
mis acordes cotidianos;
te quiero **puesto que** tus manos
trabajan por la justicia.

Si te quiero es **a causa de que** sos
mi amor mi cómplice y todo.
Y en la calle codo a codo
somos mucho más que dos.

Tus ojos son mi conjuro
contra la mala jornada;
te quiero **debido a** tu mirada
que mira y siembra futuro.

Tu boca que es tuya y mía,
tu boca no se equivoca;
te quiero **gracias a que** tu boca
sabe gritar rebeldía.

Si te quiero es **ya que** sos
mi amor mi cómplice y todo.
Y en la calle codo a codo
somos mucho más que dos.

Y **con** tu rostro sincero.
Y tu paso vagabundo.
Y tu llanto por el mundo.
Como sos pueblo te quiero.

Y **visto que** amor no es aureola,
ni cándida moraleja,
y **considerando que** somos pareja
que sabe que no está sola.

Te quiero en mi paraíso;
es decir, que en mi país
la gente viva feliz
aunque no tenga permiso.

Si te quiero es **dado que** sos
mi amor, mi cómplice y todo.
Y en la calle codo a codo
somos mucho más que dos.

c. Esta última cuestión la dejamos ya en tus manos, porque es bastante personal. Si has hecho bien el ejercicio, sin duda tu conocimiento sobre esa persona habrá mejorado y deseamos que asimismo su amor; lo que ya no sabemos si también tu admiración.

Unidad 12: Las etapas de la vida

Perífrasis verbales

12.1. **Toma esta acción verbal: *Rosalía lee un libro*, escribe cinco ejemplos de perífrasis verbales en las que se sitúe la acción verbal en:**

1. El inicio: ....
2. Un inicio brusco e inesperado: ....
3. El medio señalándose lo que ha durado hasta ahora: ....
4. El medio indicándose su continuidad ininterrumpida: ....
5. El final: ....

12.2. **Expresa de cuatro modos distintos tus propósitos para mañana de: dejar de fumar, estudiar sintaxis, salir de viaje.**

12.3. **Siguiendo con esta misma tarea, sustituye las perífrasis en cursiva por alguna expresión equivalente (perifrástica o no) en estos dos relatos:**

Hace muchos años había un pueblecito situado en un profundo valle de Ávila. En ese pueblecito vivía mucha gente. Un día, una horrible tormenta les sorprendió y *empezó a llover* muchísimo. Entonces, el agua *empezó a inundar* el profundo valle, y mucha gente no *pudo salir* y se ahogó allí.

Esta historia me la contó mi padre. Un amigo suyo *solía ayudar* a su padre, que era enterrador. Ambos *solían echar* la siesta en nichos que estaban vacíos. Una tarde *estaban durmiendo* cuando el chico oyó unos arañazos. Resultó ser una mujer a la cual habían enterrado viva. *Tuvieron que llamar* al juez para *poder desenterrarla*. Pero, cuando lo lograron, la mujer había muerto por asfixia. Solo lograron ver los arañazos que había hecho en la caja para lograr salir.

José Manuel Pedrosa, *La autopista fantasma y otras leyendas urbanas españolas.*

Por cierto, en el primer fragmento hay un error gramatical, ¿lo has visto?

12.4. **No siempre una combinación de dos verbos constituye esa unidad por la que una perífrasis se percibe como un solo verbo. Para saber si hay en ese caso o no una perífrasis verbal, hay que acudir al contexto. Fíjate en estas parejas de enunciados y señala cuándo crees que hay una perífrasis. Razona, como siempre, la contestación:**

1. Sigue cantando./La sigue cantando por toda la calle.
2. Lo llevaron corriendo al hospital./Lleva lloviendo todo el día.
3. Tengo que comer./No tengo que comer, porque estoy muy gordo.
4. A: – ¿Adónde vas? B: – Voy a echar un trago./Voy a salir mañana de campo.
5. Volvió a dejarle el libro de ejercicios.
6. Lleva rotos los zapatos./ Lleva los zapatos rotos./ Lleva rotos tres pares de zapatos este año.

12.5. **La existencia de las perífrasis aumenta las posibilidades expresivas de nuestros mensajes. Obsérvalo analizando estas distintas formas del verbo *decir*:**

{Te dije/te he dicho/te tengo dicho/te llevo diciendo} que no vengas tarde.

¿Cuál te parece menos cortés? ¿Por qué?

Ahora analiza este ejemplo:

{Lo castigué./Debí castigarlo./Tuve que castigarlo./Tuve que haberlo castigado.}.

¿Las cuatro posibilidades indican que el castigo necesariamente se produjo?, ¿en cuál de ellas el hablante manifiesta que el castigo fue en contra de sus deseos?

12.6. **Compara estas parejas de enunciados y señala las diferencias entre las formas en cursiva:**

1. Está *malentendido* ese problema./Se produjo un *malentendido*.
2. Ese niño está muy *maleducado*./Ernesto es un *maleducado*.
3. ¡Eres un *desgraciado*!/Ha quedado *desgraciado* tras el accidente.
4. El otro día fue *atropellado* aquel amigo, tan *atropellado* al hablar.

Quizá este ejercicio te sirva para reconocer la utilidad de distinguir nombres, adjetivos y participios.

12.7. **Los gramáticos normativos diferencian entre *deber de* + INFINITIVO, 'probabilidad, conjetura' y *deber* + INFINITIVO, 'obligación' (*Deben de ser seis, Deben ser seis*) y critican su confusión. Mira a ver si te parece bien usada en el siguiente ejemplo la perífrasis:**

Todavía **debo de** conservar en algún estante inaccesible de mi biblioteca un ejemplar de *Até amanhã, camaradas*, la primera novela que el dirigente comunista publicó con el pseudónimo de Manuel Tiago y que ha sido convertida hace poco en serie televisiva. De ella lo mejor que puedo decir es que no la incluiría entre las que seleccionaría para releer si me concedieran 150 años más de vida...

Manuel Rodríguez Rivero, "Tres portugueses", *ABC de las Artes y de las Letras.*

Seguro que además de *debo de conservar*, has hallado alguna perífrasis más. Señálalas.

Además, en el texto se encuentra la construcción *hace poco*, que es bastante peculiar. ¿Con qué sintagmas se combina *hace* dentro de esta misma construcción?, ¿si es con un sintagma plural, *hace* irá en plural? Quizá te ayude el texto de 12.3.

12.8. **Relaciona adecuadamente las dos columnas:**

1. Vino a costar unos doce euros.
2. Debió de costar doce euros.
3. Tuvo que costar doce euros.

a. Cantidad que probablemente costó.
b. Cantidad aproximada, sin pretender que sea la exacta.
c. Cantidad precisa, no según una experiencia directa sino de acuerdo con mis conjeturas.

12.9. **Has visto en 12.4. ambigüedades surgidas con enunciados con una interpretación perifrástica y con otra que no lo es. Ahora se trata de que observes en estos distintos ejemplos el hecho de que, manteniéndose la presencia de una perífrasis, haya también ambigüedad por los distintos sentidos que esta pueda presentar:**

1. Tiene que estar aquí, si no me equivoco.
2. Le dijeron que tenía que entregar el trabajo el lunes.
3. Acabo de encontrarme con Edith.
4. No acaba de acertar ese muchacho con sus decisiones.
5. Acaba de redactar aquella carta.
6. ¿Qué viene a decir ese?
7. Vinieron a actuar diez cantantes más o menos.

12.10. **Para que observes el papel del verbo auxiliar, sustituye los ejemplos siguientes por la perífrasis que te parezca más parecida:**

1. Se levanta habitualmente a las 6 de la mañana.
2. Trabaja en estos momentos en la vendimia.
3. Dice por ahí que le debo dinero.
4. Me pidió dinero de nuevo.
5. He escrito por el momento quince páginas.

12.11. **Lee con atención este cuento del escritor uruguayo Eduardo Galeano:**

Sucedidos/2

Antaño don Verídico sembró casas y gentes en torno al boliche el Resorte, para que el boliche no se quedara solo. Este sucedido sucedió, dicen que dicen, en el pueblo por él nacido.

Y dicen que dicen que había allí un tesoro, escondido en la casa de un viejito calandraca.

Una vez por mes, el viejito, que estaba en las últimas, se levantaba de la cama y se iba a cobrar la jubilación.

Aprovechando la ausencia, unos ladrones, venidos de Montevideo, le invadieron la casa.

Los ladrones se pusieron a buscar. Buscaron y rebuscaron el tesoro en cada recoveco. Lo único que encontraron fue un baúl de madera, tapado de cobijas, en un rincón del sótano. El tremendo candado que lo defendía resistió, invicto, el ataque de las ganzúas.

Así que acabaron llevándose el baúl. Y cuando por fin consiguieron abrirlo, ya lejos de allí, descubrieron que el baúl estaba lleno de cartas. Eran las cartas de amor que el viejito había venido recibiendo todo a lo largo de su larga vida.

Los ladrones iban a quemar las cartas. Se discutió. Finalmente, decidieron devolverlas. Y de a una. Una por semana.

Desde entonces, al mediodía de cada lunes, el viejito se sentaba en lo alto de la loma. Allá esperaba que apareciera el cartero en el camino. No bien veía asomar el caballo, gordo de alforjas, por entre los árboles, el viejito se echaba a correr. El cartero, que ya sabía, le traía su carta en la mano.

Y hasta San Pedro escuchaba los latidos de ese corazón loco de alegría de recibir palabras de mujer.

a. **A continuación te ofrecemos una lista de palabras por orden de aparición en el texto. Intenta unirlas con su correspondiente definición.**

sembrar • boliche • calandraca • jubilación • recoveco • baúl • cobija • sótano • candado • invicto • ganzúa • loma • alforja

a. ....: 'garfio o alambre con la punta doblada para abrir sin llaves las cerraduras'.

b. ....: 'escondrijo, rincón o espacio pequeño que forma un ángulo entre dos superficies, normalmente dos paredes'.

c. ....: 'especie de talega formada por dos bolsas cuadradas, una a cada lado, que se emplea para transportar objetos sobre un animal de carga'.

d. ....: 'cerradura de metal que se emplea para cerrar puertas, ventanas, cofres, maletas, etc.'.

e. ....: 'persona ridícula'.

f. ....: 'altura pequeña y prolongada; también monte o cerro'.

g. ....: 'manta para abrigarse'.

h. ....: 'esparcir las semillas en la tierra para más tarde obtener un fruto. // Fig. Realizar cualquier acción con la esperanza de obtener un beneficio posterior'.

i. ....: 'cofre, mueble semejante al arca para guardar objetos'.

j. ....: 'cantidad de dinero que recibe una persona mensualmente por haber dejado de trabajar después de un determinado número de años, por enfermedad o ancianidad'.

k. ....: 'nunca vencido'.

l. ....: 'habitación subterránea en la parte baja de un edificio'.

m. ....: 'establecimiento comercial de poca importancia'.

b. Observa las expresiones en cursiva de las siguientes oraciones extraídas del texto. ¿Son perífrasis verbales? Razona tu respuesta.

1. Una vez por mes, el viejito, que estaba en las últimas, se levantaba de la cama y *se iba a cobrar* la jubilación.
2. Y cuando por fin *consiguieron abrirlo*, ya lejos de allí, descubrieron que el baúl estaba lleno de cartas.
3. Los ladrones *iban a quemar* las cartas. Se discutió. Finalmente, decidieron devolverlas. Y de a una. Una por semana.

c. Encuentra las perífrasis verbales que aparecen en el texto y clasifícalas según los siguientes criterios:

a. ....: muestra el comienzo repentino de una acción, brusco o por sorpresa.
b. ....: señala el comienzo de un hecho destacando la voluntad y decisión del sujeto.
c. ....: actividad que se acumula o avanza poco a poco desde un cierto punto.
d. ....: indica la terminación o final de algo.

Claves

Unidad 12: Las etapas de la vida

12.1.
1. Inicio: *Empieza a leer.*
2. Inicio brusco e inesperado: *Se pone a leer.*
3. En medio de la acción señalándose lo que ha durado hasta ahora: *Lleva leyendo.*
4. En medio de la acción indicándose su continuidad ininterrumpida: *Sigue leyendo.*
5. Final: *Deja de leer.*

12.2. Dejar de fumar: *Dejaré de fumar mañana* (el enunciado es ambiguo y puede encerrar una promesa poco firme, dado el carácter inconcreto de *mañana*), *Voy a dejar de fumar mañana* (la promesa es mucho más firme), *Estoy por dejar de fumar mañana* ('están entrándome ganas, pero no me comprometo'), *Pienso dejar de fumar mañana* (este es su propósito, pero la experiencia advierte de lo fugaces que estos son a veces: "El camino del infierno está empedrado de buenas intenciones").

Estudiar sintaxis: *Estudiaré sintaxis mañana, Voy a estudiar sintaxis mañana, Tengo la intención de estudiar sintaxis mañana, Mañana sin falta estudio sintaxis* (esta última formulación revela cierta culpabilidad por una tarea que se ha demorado).

Salir de viaje: *Saldré de viaje mañana, Estoy para salir de viaje mañana* ('estoy a punto de hacerlo'), *Voy a salir de viaje mañana, Quiero salir de viaje mañana.*

12.3. Así quedaría el texto con las sustituciones:

> Hace muchos años había un pueblecito situado en un profundo valle de Ávila. En ese pueblecito vivía mucha gente. Un día, una horrible tormenta les sorprendió y **se puso a llover** muchísimo. Entonces, el agua **comenzó a inundar** el profundo valle, y mucha gente no **fue capaz de salir** y se ahogó allí.
>
> Esta historia me la contó mi padre. Un amigo suyo **acostumbraba a ayudar** a su padre, que era enterrador. Ambos **echaban** la siesta en nichos que estaban vacíos. Una tarde **dormían** cuando el chico oyó unos arañazos. Resultó ser una mujer a la cual habían enterrado viva. **Debieron llamar** al juez para **que se les permitiera desenterrarla**. Pero, cuando lo lograron, la mujer había muerto por la asfixia. Solo lograron ver los arañazos que había hecho en la caja para lograr salir.

El error gramatical es un *leísmo* prohibido, en el que *les* se ha empleado en lugar de *los*, como corresponde a un objeto directo plural, aunque sea de persona.

12.4. Como se te señalaba en el ejercicio, el criterio para decidir si hay perífrasis es que se perciba la unidad, lo que va unido a que el primer verbo actúe como un simple signo gramatical. Y esta decisión, salvo en los casos en que el verbo primero es siempre auxiliar *(Has de dejar libre la habitación a las 12 h.)*, debe analizarse caso por caso mirando el contexto.

1. Sigue cantando./La sigue cantando por toda la calle. Lo normal en el primer ejemplo es pensar en una perífrasis que indica que el sujeto continúa cantando y que seguramente siga haciéndolo. En el segundo, no hay perífrasis, el sujeto va detrás de una persona por toda la calle y lo hace cantando. Que *seguir* tenga sus complementos (el caso de *la* es claro) ya es suficiente razón para negar que haya perífrasis.
2. Lo llevaron corriendo al hospital./Lleva lloviendo todo el día. El primer ejemplo no es una perífrasis. *Llevar* mantiene su significado de 'transportar' y su condición de verbo transitivo (*lo* es su objeto directo). En el segundo caso, sí hay perífrasis, *lleva* con el gerundio solo indica continuidad. Comparando los dos ejemplos, observarás que la perífrasis es impersonal, porque el verbo principal lo es. Esta cuestión del sujeto tiene su peso en la posibilidad de que haya perífrasis, los sujetos que no son de persona favorecen la existencia de perífrasis y viceversa. Compara *Lleva soplando el viento todo el día* y *El niño lleva soplando un globo.*
3. Tengo que comer./No tengo que comer, porque estoy muy gordo. El primer ejemplo es ambiguo: perífrasis, si significa 'tengo la obligación de comer' y no perífrasis, si significa 'tengo algo que comer'. Lo normal es que sea perífrasis. En el segundo caso, también cabría la ambigüedad, pero la causal que sigue lleva a pensar solo en la posibilidad de la perífrasis ('tengo la obligación de no comer').
4. A: –¿Adónde vas? B: –Voy a echar un trago./Voy a salir mañana de campo. En el primer ejemplo, la pregunta previa induce a pensar que no hay perífrasis y que significa 'me dirijo a echar un trago'. En el segundo, sí la hay. *Mañana* impide que *ir* actúe propiamente como verbo, pues no puede indicar 'realizar un movimiento hacia'. El segundo ejemplo equivale a 'saldré mañana de campo'.
5. Volvió a dejarle el libro de ejercicios. De nuevo tenemos ambigüedad. Hay perífrasis si el enunciado significa 'le dejó de nuevo el libro de ejercicios'. No, si significa 'regresó para dejarle el libro de ejercicios'.
6. Lleva rotos los zapatos./ Lleva los zapatos rotos./ Lleva rotos tres pares de zapatos este año. Solo el tercer enunciado es una perífrasis 'ha roto tres pares de zapatos', clave para que así sea es el complemento temporal *este año*, pues *llevar* + PARTICIPIO expresa una acción prolongada en el tiempo de carácter acumulativo. En los otros dos enunciados, *rotos* es un complemento predicativo de *zapatos.*

12.5. La respuesta te sonará a alguna clave anterior. Ninguna de las posibilidades es muy educada, pues en cualquier caso se trata de un reproche por haber desobedecido una orden. Sin embargo, en las perífrasis el reproche es mayor, puesto que *te tengo dicho* y *te llevo diciendo* suponen una continuidad, una reiteración en la orden, que hacen más grave la desobediencia.

En *Lo castigué* es evidente que el castigo se ha producido. Lo mismo sucede en *Tuve que castigarlo;* en cambio, en *Debí castigarlo* no está claro que haya habido castigo, sí que ha existido la obligación de hacerlo. Aquí tenemos una diferencia entre ambas perífrasis. La otra, derivada de esta consiste en que en *Tuve que castigarlo* parece que esto lo ha hecho el sujeto en contra de su deseo, lo que no es evidente en *Debí castigarlo.* Para evitar engaños, son distinciones sujetas al contexto, por lo que un cambio en este puede eliminarlas. En *Tuve que haberlo castigado* no puede hablarse de acto realizado, sino de acto que debía haberse realizado.

12.6. Aunque sin la facilidad del inglés, también hay casos en español en que una misma forma puede pertenecer a clases de palabras distintas. Es lo que sucede en el ejercicio en el que un participio se convierte en uno de los casos en un nombre con un nuevo significado.

1. *Malentendido* es un participio de *malentender*. Sigue siéndolo en la perífrasis resultativa *está malentendido*. Sin embargo, en *Se produjo un malentendido* actúa como un nombre, con el significado de 'mala interpretación de un mensaje'.
2. *Maleducado* es otro participio (de *maleducar*), que conserva su condición *(Está muy maleducado)* a veces; pero en otras se convierte en un nombre *(Es un maleducado)* o se aproxima al adjetivo *(No me gustan los niños maleducados).*
3. En su primera presencia el participio *desgraciado* (de *desgraciar*) es un nombre empleado como insulto. En la segunda, mantiene la condición de participio indicando de alguien que ha sufrido una desgracia que lo ha malogrado.
4. La condición de participio de *atropellado* se mantiene en el primer ejemplo, pues significa 'aquel amigo padeció un atropello'. En el segundo caso, *atropellado* es un adjetivo que significa 'que actúa con precipitación'.

12.7. El ejemplo de *deber de* + INFINITIVO es correcto, pues sirve para establecer una conjetura. Aparecen dos perífrasis más: la pasiva *(ha sido convertida)* y la de posibilidad *(puedo decir).*

La construcción de *hace* se forma con este verbo y un complemento que indica un tiempo cuantificado. Aunque este vaya en plural, *hace (hacía, hará* o *haría)* sigue en tercera persona del singular, pues es una construcción impersonal *(Hace mil años de aquello).*

12.8. Así quedarían emparejadas:

1. Vino a costar unos doce euros. → cantidad aproximada, sin pretender que sea la exacta (es clave para ello el indefinido *unos*).

2. Debió de costar doce euros. → cantidad que probablemente costó.

3. Tuvo que costar doce euros. → cantidad precisa, no según una experiencia directa sino de acuerdo con mis conjeturas.

12.9. Vamos con los análisis de estos ejemplos que nos permitirán observar los distintos sentidos que puede desarrollar una perífrasis:

1. Tiene que estar aquí, si no me equivoco. → Probabilidad, el hablante realiza una conjetura.

2. Le dijeron que tenía que entregar el trabajo el lunes. → Obligación.

3. Acabo de encontrarme con Edith. → Final reciente de un hecho.

4. No acaba de acertar ese muchacho con sus decisiones. → No finalización de un proceso en contra de los deseos del hablante.

5. Acaba de redactar aquella carta. → Ejemplo ambiguo, puede indicar, como más arriba, el final reciente de la acción; pero también que se está a punto de terminar. Esta última interpretación es evidente si *acaba* es un imperativo.

6. ¿Qué viene a decir ese? → Acción intencional del sujeto que el hablante desprecia.

7. Vinieron a actuar diez cantantes más o menos. → Aproximación.

12.10. Vamos con las equivalencias:

1. Se levanta habitualmente a las 6 de la mañana. → *Suele levantarse a las 6 de la mañana.*

2. Trabaja en estos momentos en la vendimia. → *Está trabajando en la vendimia.*

3. Dice por ahí que le debo dinero. → *Anda diciendo que le debo dinero.*

4. Me pidió dinero de nuevo. → *Volvió a pedirme dinero.*

5. He escrito por el momento quince páginas. → *Llevo escritas por el momento quince páginas.*

12.11. **a.** Estas serían las palabras adecuadas a su definición:
a. Ganzúa; b. Recoveco; c. Alforja; d. Candado; e. Calandraco/a (propio de América); f. Loma; g. Cobija (propio de América y Andalucía); h. Sembrar; i. Baúl; j. Jubilación; k. Invicto; l. Sótano; m. Boliche (en Andalucía, Uruguay o Argentina).

b. Respecto a la condición de perífrasis de los tres ejemplos hay que decir que ninguno lo es, con la excepción relativa de *Los ladrones iban a quemar las cartas.*

1. *Se iba a cobrar la jubilación* no es perífrasis porque *ir* no funciona como un auxiliar sino como un verbo pleno que significa 'desplazarse a dejando el lugar de origen'. Un elemento responsable de que así sea es la presencia de *se*, que aporta a la significación de *ir* la referencia a abandonar un lugar; con tal aportación no puede haber perífrasis, por la razón de que mantiene a *ir* como verbo pleno.
2. *Consiguieron abrirlo* no es perífrasis, porque la combinación está formada por dos verbos plenos independientes en cuanto a su significación.
3. La única excepción la constituye *iban a quemar las cartas*, donde *iban* funciona como un auxiliar que denota intencionalidad ('se disponían a quemar las cartas'). Aquí *ir* + INFINITIVO añade esta nota a la información de que el hecho se sitúa en la fase previa a su realización. Esta es la interpretación normal del ejemplo, aunque no podría descartarse que no hubiera perífrasis y que *ir* junto a la idea de intencionalidad añadiera la idea propia del verbo pleno del desplazamiento, no realizado como muestra el imperfecto. Por eso, hemos comenzado hablando de excepción relativa.

c. Estas son las perífrasis del texto ordenadas de acuerdo con su sentido: a. Se echaba a correr; b. Se pusieron a buscar; c. Había venido recibiendo; d. Acabaron llevándose.

Apéndice gramatical

Unidad 1: El humor

Ser y *estar*

1. Existe en español una pareja de verbos copulativos: *ser* y *estar*. *Ser* se asocia a lo esencial, lo permanente, lo ilimitado temporalmente; por tanto, a lo habitual y normal. *Estar*, por el contrario, significa que su predicado es accidental, circunstancial, limitado temporalmente, y, consiguientemente, el resultado de un cambio que altera la normalidad.
2. Esta caracterización debe entenderse desde el punto de vista de la mente del hablante, no desde la realidad abstracta de las cosas. Por eso, no pueden examinarse los empleos de los dos verbos desde la pura lógica objetiva, sino desde la subjetividad humana.
3. Tal significación explica los posibles atributos de ambos verbos. En concreto, se construyen con *ser* los sintagmas nominales y los adjetivos que representan cualidades permanentes que definen a los sujetos a las que se atribuyen *(asturiano, auténtico, budista, leal, cristiano...)*. Eligen *estar* los adjetivos que representan situaciones, limitadas temporalmente *(harto, lleno, presente, vacío, descalzo, desnudo, contento, absorto)* o/y que se producen tras un cambio *(muerto)*.
4. Las peculiaridades de *ser* y *estar* explican los cambios de significado en determinados adjetivos según vayan con un verbo u otro: *alegre, bueno, católico, fresco, listo, malo...*
5. Existen frases hechas con *ser* *(ser un veleta)* y *estar* (estar como {*una regadera, una moto*}) respectivamente unidas a lo esencial, permanente e ilimitado temporalmente; y a lo accidental y limitado temporalmente.
6. La naturaleza de *estar* se halla también detrás de las perífrasis verbales que protagoniza: *estar* {*al/para/por*} + INFINITIVO o *estar* + GERUNDIO.
7. Además de *ser* y *estar*, la lengua cuenta con una serie de verbos *pseudocopulativos (andar, llegar, ponerse, quedarse, seguir, volverse...)*. En su mayoría son verbos de movimiento que han perdido una parte importante de su significación y que mantienen casi todos una fuerte relación con *estar*.
8. *Ser* y *estar* se utilizan para la expresión de la voz pasiva. No siempre es fácil distinguir cuándo la oración es atributiva y cuándo, pasiva *(La edición fue limitada)*.
9. El uso de la voz pasiva en español obedece a razones de organización de la información en el texto. La necesidad de mantener la coherencia textual puede exigir que el objeto directo se convierta en sujeto, gracias a ello se coloca en primera posición y se convierte en aquello de lo que habla la oración. Esto es lo que ocurre cuando se prefiere la voz pasiva a la activa *(Noelia vio a Antonio. → Antonio fue visto por Noelia)*.
10. Al igual que sucedía con los verbos pseudocopulativos, existen otros verbos que expresan también la voz pasiva *(encontrarse detenido, verse engañado...)* y que añaden diversos matices que enriquecen la información del proceso que afecta al sujeto como resultado de la acción de otro.

Unidad 2: El teatro

Pretéritos de indicativo

1. El español cuenta con las siguientes formas de pasado en indicativo: *he cantado; canté, hube cantado; cantaba, había cantado; cantaría* y *habría cantado.*

2. Con la excepción de *canté,* que significa anterioridad respecto al momento en el que se sitúa psicológicamente el presente del hablante *(canto),* los pretéritos de indicativo son tiempos relativos que necesitan definirse en relación a otro tiempo.
   - *He cantado* indica anterioridad a un suceso o situación presentes *(Me comunican que ha salido).*
   - *Cantaba* indica simultaneidad con otro suceso o situación pasados *(Habló mientras sonreía).*
   - Había cantado indica anterioridad a un suceso o situación pasados *(Habían salido cuando él entró).*
   - *Hubo cantado* indica una anterioridad inmediata respecto a un suceso o situación pasados *(Una vez que se hubo marchado, entró él).* Es una forma poco usada, en beneficio de *había cantado.*
   - *Cantaría* indica un hecho posterior a un suceso o situación pasados *(Me aseguró que lo tendría para el martes).*
   - *Habría cantado* indica simultáneamente anterioridad respecto a un momento y posterioridad a otro *(Me aseguró que para hoy habría terminado).*

3. *Habré cantado* representa un hecho posterior, pero anterior a otro *(Me asegura que habrá terminado antes de que llegue).* También puede representar hechos hipotéticos que coincidan con el momento del habla *(Hoy habrán llegado)* o anteriores a él *(Ayer se habrá pasado el día entero buscándolo).*

4. Esta descripción de los pretéritos de indicativo y del futuro compuesto *habré cantado* se complementa con otras informaciones en cuanto al aspecto y modo verbales:
   - *He cantado.* Relación directa con el presente.
   - *Canté.* El suceso o situación se contempla de forma completa, acabado.
   - *Cantaba.* Se contempla solo una parte del suceso o situación, sin referencia a su final. Esto le permite convertir a los oyentes en espectadores que contemplan un hecho fuera del presente.
   - *He cantado, había cantado, hubo cantado, habría cantado* y *habré cantado.* Se considera no solo el final del hecho, sino también, a veces, sus efectos.
   - *Cantaba, había cantado, cantaría* (y *habría cantado*). El hecho representado está fuera de lo que se percibe como actual y presente.

5. El alejamiento de lo actual y presente en imperfecto y condicional explica esos valores modales de *cantaba* y *saldría* de cortesía (*{Quería/querría}*) y de poca seguridad en las afirmaciones. Esto les permite formular deseos utópicos *(Hoy mismo me iba a la montaña de vacaciones).*

6. El tiempo verbal depende mucho de en dónde o en relación con qué sitúe los hechos la percepción humana. Esto explica que *canto* se emplee en lugar de algún pretérito con el propósito de actualizar un relato *(De pronto sale un vehículo por la izquierda...).*

7. La información temporal no solo es asunto del verbo, también depende de los adverbios y expresiones temporales. La relación entre tiempos verbales y estos complementos temporales está sujeta a restricciones debidas al significado de ambos *(Desde hace dos años me he escrito con Sara./*Desde hizo dos años me escribí con Sara).*

Unidad 3: La felicidad

Oraciones subordinadas sustantivas, subjuntivo e indicativo

1. Las oraciones subordinadas sustantivas se llaman así porque equivalen a un sustantivo o a un sintagma nominal *(Oyeron que cantaba. → Oyeron aquella canción).* Pertenecen a dos grandes tipos: interrogativas *(Dime si va a venir)* y enunciativas *(Creo que va a venir).* Las enunciativas representan

hechos (reales, posibles o irreales) dependientes de un predicado principal y van introducidas por la conjunción *que*.

2. Cuando en la oración principal un constituyente fundamental (sujeto, objetos directo o indirecto) coincide con el sujeto de la subordinada, es normal la sustitución de *que* + verbo conjugado por su infinitivo *(Le oyeron que cantaba aquella hermosa canción. → Le oyeron cantar...).*

3. El verbo de la subordinada sustantiva va en indicativo o subjuntivo. El indicativo se liga a la verdad, la certeza, la seguridad; el hablante quiere hacer ver que es verdad lo expresado en la subordinada, e informar de ello al destinatario. Por contra, el subjuntivo se asocia a lo que no se presenta como un hecho, porque no lo es (es el fruto de la subjetividad humana) o porque no interesa presentarse como tal (para rebajar la fuerza de un argumento o porque es algo de sobra conocido).

4. Que el verbo de la subordinada vaya en un modo u otro, y, por tanto, represente hechos o no, depende mucho de la naturaleza del verbo principal.

5. El verbo de la subordinada lleva subjuntivo cuando depende de verbos de *influencia (aconsejar, conseguir, exigir...),* que representan la intención de influir en la conducta de alguien para que actúe de una determinada forma *(Te recomiendo que no salgas sin el paraguas).*

6. También se construyen con subjuntivo los verbos que expresan sentimiento *(Le dolió que no la llamaran),* así como opiniones y juicios personales *(Me extraña que siga ahí).*

7. Los verbos de entendimiento, percepción y comunicación prefieren indicativo, a no ser que sean negados *(Me asegura que vendrá el viernes. → No me asegura que venga el viernes, Sé que es amigo de Pedro. → No sabía que fuera amigo de Pedro).*

8. Con cierta frecuencia, el hecho de que un verbo se combine con uno u otro modo supone y explica que este cambie de significado. Es el caso de *sentir, decir, ver...*

9. Lo dicho sobre la relación entre naturaleza del verbo principal y modo de la subordinada es válido, cuando en vez de verbo principal aparece *ser* + ADJETIVO *(Es cierto que llovió mucho ayer, No es cierto que lloviera mucho ayer, Es imposible que llueva pronto).*

10. Por su propia naturaleza (no informa estrictamente de hechos y representa a menudo deseos, esperanzas, temores) y por la acción de su verbo principal, las formas de subjuntivo se cargan a menudo de un valor de futuro respecto a su forma correspondiente de indicativo. De este modo, toda forma de subjuntivo equivale a su forma de indicativo correspondiente o a su futura:
    Canta, cantará → cante.
    He cantado, habré cantado → haya cantado.
    Cantaba, canté, cantaría → cantara/se.
    Había cantado, habría cantado → hubiera/se cantado.

Unidad 4: La publicidad

Formas de mandato y leísmo

1. El modo verbal específico para ordenar es el imperativo. Solo cuenta con dos formas propias: las dos segundas personas (*tú* y *vosotros*), la primera de las cuales puede confundirse con la tercera persona del singular del presente de indicativo *(¡Calla!, Él calla).*

2. Además, el imperativo no admite la negación ni funcionar como verbo de una oración subordinada.

3. En estos casos en que no es posible el imperativo (y no solo en ellos), se recurre al presente de indicativo *(¡Tú te vienes!)*, de subjuntivo *(No digas más tonterías)*, al infinitivo *(No girar a la derecha)* o al futuro de indicativo *(No tomarás el nombre de Dios en vano).* En la lengua coloquial la segunda persona del plural *(cantad)* es sustituida por el infinitivo *(cantar).*

4. Además, existen las fórmulas *a* + {INFINITIVO/SINTAGMA NOMINAL} *(¡A callar!)* y *¡que* + PRESENTE DE SUBJUNTIVO! *(¡que se calle!)*, propias del coloquio.

5. La segunda persona del singular del imperativo pierde la -e final en algunos verbos de la segunda y tercera conjugación en que esta pérdida forma un monosílabo y un final en *-l, n* o *z (pon, sal, ven...)*.

6. A su vez, la segunda persona del plural del imperativo cuando se junta con el pronombre *os* pierde su *-d* final *(apartaos, comeos, daos...)*, sobre todo, con los verbos acabados en *-ar* y en la norma culta.

7. Leísmo es el empleo incorrecto del pronombre *le* como objeto directo *(*Mírale)*; *laísmo* es el empleo incorrecto del pronombre *la* como objeto indirecto *(*La gusta mucho Bustamante)* y *loísmo* es el uso prohibido de *lo* como objeto indirecto *(*Lo di el recado)*.

8. Estos tres errores, sobre todo los dos primeros, son característicos de la zona centro de España (Madrid y Castilla). En las demás áreas del español, salvo algún ejemplo reducido de *leísmo*, no se dan.

9. La Real Academia de la Lengua Española tolera el leísmo más suave: en singular y referido a una persona masculina *(Déjale a tu hermano la* play*)*.

10. Aun en las regiones no leístas, con el *se* impersonal solo se combinan *le* o *la* (y sus plurales) como objeto directo *(Se le vio por el pueblo hace un mes)*.

11. En las regiones leístas el uso de *le* como objeto directo refleja una tendencia muy fuerte a diferenciar entre personas y cosas. De modo que, por ejemplo, *le veo* induce siempre a pensar en un objeto directo personal y *lo veo* en uno no personal.

Unidad 5: La magia

Oraciones temporales y modales

1. Las oraciones temporales sirven para situar en un punto determinado del tiempo la oración principal. Así, esta puede ser anterior *(Laura se casó antes de que su hermana tuviera los mellizos)*, simultánea *(Laura estudiaba mientras su madre trabajaba en el hospital)* o posterior *(Laura se fue apenas llegó su madre)* respecto a la subordinada de tiempo.

2. El conector temporal más importante es *cuando*, todos los demás pueden entenderse como especificaciones de sus valores. Aunque tiende a indicar una simultaneidad amplia *(Laura se casó cuando su hermana vivía en Estados Unidos)*, la naturaleza de los tiempos verbales combinados y ciertas expresiones temporales permiten que *cuando* exprese también anterioridad o posterioridad *(Laura se había casado ya cuando su hermana tuvo los mellizos, Laura se casó cuando su primo ya se había ido a los Estados Unidos)*.

3. *Cuando* admite el subjuntivo referido a situaciones o hechos posibles *(Terminará sus estudios cuando a mí me nombren obispo de Roma)*. También en la lengua hablada se combina con adjetivos referidos a alguna etapa de la vida humana o con sintagmas nominales *(Cuando niña era muy tímida, Visitó las Pirámides de Egipto cuando las vacaciones de Semana Santa)*.

4. También indican simultaneidad entre ambas oraciones: *mientras* o, de manera más amplia, *en cuanto* y *al* + INFINITIVO. *Mientras* expresa la simultaneidad más exacta *(María se divertía en la discoteca mientras su novio preparaba el examen de portugués)*. No debe confundirse con *mientras que*, que establece un contraste, una oposición entre dos hechos simultáneos *(Estás divirtiéndote mientras que tus padres se matan a trabajar para pagarte los estudios)*.

5. Con *al* + INFINITIVO *(Al llegar su padre, Noelia se marchó)* se manifiesta más bien una sucesión inmediata entre dos hechos, lo que posibilita que se sienta entre ellos una relación de CAUSA-EFECTO. No es el único caso en que la subordinada temporal va con infinitivo, también puede aparecer con *antes, después, hasta* o *nada más (Era un completo irresponsable antes de morir su padre, Esa chica ha cambiado mucho después de tener a su hijo, Luchó hasta conseguirla, Nada más obtener el título, se fue una semana de vacaciones)*.

6. *A medida que, conforme* o *según* expresan una relación de simultaneidad amplia entre dos hechos, que puede entenderse causalmente. El matiz que los distingue se encuentra en que ambos hechos son pro-

gresivos y que el avance del primero cronológicamente produce el avance del segundo *(A medida que iba metiéndome en la película, más me enganchaba, Conforme la miraba, más iba gustándome, Según lo leía, menos me gustaba el trabajo).* Con *cuanto {más/menos}* el aumento cuantitativo de los dos hechos se expresa de modo más directo *(Cuanto más lo leía, menos me gustaba el trabajo).*

7. Con *en cuanto, apenas, así que, nada más, tan pronto como* se establece como en *al* + INFINITIVO una relación de sucesión inmediata entre dos hechos que a menudo no se superponen, frente a lo que sucede con los conectores anteriores, sino que el primero concluye justo cuando empieza el otro. El significado propio de estos conectores fortalece la expresión de la inmediatez.

8. *Cada vez que, siempre que* expresan la repetición de dos sucesos o situaciones muy próximos en el tiempo, a veces coincidentes *(Cada vez que sonríe, me echo a temblar; Siempre que tiene examen, está nerviosa).*

9. *Desde que* + ORACIÓN, *desde* + SINTAGMA NOMINAL O ADVERBIAL, *desde hace* + COMPLEMENTO TEMPORAL indican el inicio de la oración principal *(Desde que ha terminado el curso no he vuelto a mirar el libro, Desde ayer no lo he visto, Desde hace dos meses vivo en este nuevo piso).*

10. *Hasta que* + ORACIÓN, *hasta* + SINTAGMA NOMINAL O ADVERBIAL, *hasta hace* + COMPLEMENTO TEMPORAL indican, frente a *desde...* el fin de la oración principal *(Hasta que empiece el curso estará sin mirar el libro, No la veré hasta mañana, Ha vivido en ese apartamento hasta hace dos meses).*

11. *Desde* y *hasta* pueden combinarse con *hace*. *Hace (hacía, haría* o *hará),* sin preposición alguna, encabeza un complemento temporal que localiza temporalmente un suceso o situación indicando su carácter anterior respecto al momento de hablar o a otro acontecimiento *(Escribo ese trabajo hace una semana, Dejó ese apartamento hará un mes, Había llegado hacía unos meses).*

12. Además, hay otra construcción temporal con *hacer* en la que este actúa como verbo equivalente a *se cumple,* que rige una oración subordinada para informar del tiempo que ha pasado de un hecho *(Hace un mes que se casó Sonsoles).*

13. Las oraciones subordinadas de modo, como el resto de los complementos de esta clase, especifican la manera en que se produce la oración principal *(Habló como su hermano).* El conector principal es *como,* a veces agrupado con otros elementos también de carácter modal: *así como, según (y) como, tal (y) como.*

14. *Como* es un adverbio relativo que toma su sentido modal de un antecedente de la oración principal a menudo oculto: *Se portó (así) como un niño.* Además aporta la nota de identidad o semejanza entre él y el complemento de modo que le sirve de antecedente: *Se portó así = un niño se portó así.*

15. Esta relación de identidad o semejanza que establece le permite convertirse en el conector de las comparativas de igualdad, cuando el antecedente de *como* se halla cuantificado con *tan(to) (Trabaja tanto como su hermano).*

16. La oración subordinada de *como,* tanto si es comparativa como si es modal, se reduce casi siempre a aquello que no se encuentra en la oración principal, lo que coincide con ella queda oculto: *Se cayó por las escaleras como el otro día su padre (se cayó).*

17. Tanto si está oculto o no, el verbo de la subordinada modal o comparativa con *como* va normalmente en indicativo, a no ser que su antecedente sea algo sin especificar *(Tráelo como sea).*

18. *Como* (y sus versiones exclamativas e interrogativas) es un conector muy empleado, lo que le ha llevado a desarrollar otros valores que lo alejan de su uso principal modal y comparativo. Entre estos valores alejados del uso principal, destacan el *causal (Como no estabas, me fui)* y el condicional *(Como no cambie, la despedirán).* En ellos la oración de *como* aparece en primer lugar, en contra de lo que normalmente sucede.

19. *Según* y *conforme* son conectores modales con muchas menos posibilidades que *como,* por lo que no siempre pueden sustituirlo. *Según* (a veces, una preposición) y *conforme* (a veces, un adjetivo) comparten con *como* la capacidad de establecer una relación de identidad entre las dos formas, los dos modos representados en los dos miembros *(Lo montó según decían las instrucciones, Lo hizo conforme lo acordado).*

20. Con bastante frecuencia, las oraciones de modo van en gerundio *(Llegaron silbando aquella canción).*

Unidad 6: La memoria

Oraciones concesivas

1. Las oraciones concesivas expresan un hecho, a veces intenso, que no da lugar a lo que sería de esperar *(Por más que se lo digo, no hace caso).* Esto les permite servir a necesidades comunicativas como la manifestación de la frustración *(No lo cogieron y eso que había luchado mucho por ese trabajo),* la determinación de hacer algo frente a las adversidades *(Aunque no vaya nadie, asistiré a la reunión; A pesar de sus insultos, sigue queriéndolo)* o el quitarle fuerza a un argumento de cara a llegar a alguna conclusión *(Por poco que estudie, aprobará).*

2. El conector concesivo fundamental es *aunque*. Admite indicativo cuando se trata de informar acerca de hechos que se presentan como reales *(Aunque domina tres idiomas, no es la secretaria que necesita).* Va con subjuntivo para representar hechos inseguros o imposibles, en los que no acaba de creerse o no se cree *(Aunque dominara tres idiomas, no es la secretaria que necesita).* También la concesiva con *aunque* + SUBJUNTIVO se emplea para referirse a un hecho cierto no para informar de él, pues es conocido (lo ha podido comunicar el mismo interlocutor), sino para rechazarlo como factor efectivo *(Aunque domine tres idiomas,...).*

3. Además de *aunque* existen otros conectores concesivos. *A pesar de que* es bastante empleado también; tiende a ir con indicativo, pues suele introducir informaciones nuevas *(A pesar de que es un cocinero acreditado, no lo han contratado para el restaurante que van a abrir).* Puede combinarse con infinitivo *(A pesar de estar enferma su madre, se fue de vacaciones)* o con un sintagma nominal *(A pesar de la enfermedad de su madre, se fue de vacaciones). Pese a que* es un equivalente menos habitual de *a pesar de que (Pese a que es un cocinero acreditado...; pese a estar enferma...; pese a la enfermedad de su madre...).*

4. Un grupo importante de conectores concesivos se ajusta a la estructura *por...que,* con un elemento cuantificado adjetival o adverbial entre medias: *Por más que ahorro, nunca llego a final de mes, Por muy bien que lo hagas, va a dar lo mismo, Por listo que seas, no resolverás el ejercicio...*

5. Otro grupo es el formado por *aun* (o *incluso*): *Aun cuando nadie quería, ella les obligó quedarse un día más, Aun a sabiendas de que era un capricho, se compró aquel abrigo, Aun fumando todos los días tres paquetes, tenía una salud de hierro, Aun sin recursos, salió adelante...*

6. Existen asimismo unas construcciones reduplicativas concesivas, en subjuntivo: *digan lo que digan, ocurra lo que ocurra, llores o patalees.* Se emplean mucho en la lengua hablada para realizar advertencias e informaciones tajantes cuyo cumplimiento no lo impedirá circunstancia alguna *(Hagas lo que hagas, no va a servirte para nada).*

7. *Y eso que* o *y mira que* introducen oraciones concesivas en indicativo que ocupan, en contra de lo que es normal en las concesivas, necesariamente, la segunda posición *(No bebí una sola horchata y eso que recorrí Valencia entera, No he probado en todo el año el vino y mira que me gusta).* Son conectores propios de la lengua hablada, transmiten sentimientos negativos como la frustración, el reproche ante algo que no ha salido como debía.

8. Las oraciones concesivas coinciden con las oraciones adversativas en la contraposición de sus dos miembros *(Aunque jugó en pista rápida, Nadal ganó; Nadal ganó, pero no convenció).* En las concesivas se elimina lo presupuesto por su oración que la convertía en la causa efectiva de algo; en las adversativas, se rechaza alguna de (o todas) las consecuencias que se extraen del primer miembro. Dado el esquema CAUSA-EFECTO, en las concesivas, pues, se actúa negando la fuerza de una causa, por eso prefieren la primera posición. En las adversativas, que se colocan en segundo lugar, se niegan las consecuencias del primer miembro oponiéndole el segundo, que determinará la consecuencia válida y cómo continuará el discurso.

9. El conector adversativo más característico es *pero;* sin embargo, también puede aparecer *aunque* con este valor *(Fue un gran investigador, aunque nadie lo quería).* Esto ocurre cuando puede sustituirse por *pero*, va en indicativo y no encabeza la oración, sino que se coloca en medio. Estos tres requisitos son necesarios; a menudo, delante del *aunque* adversativo se hace una pausa mayor que delante del concesivo. De todos modos, la equivalencia, cuando se da, entre *pero* y *aunque* no es total, el primero expresa una oposición mayor que *aunque*.

Unidad 7: El medio ambiente

Oraciones relativas, adjetivos y oraciones relativas especificativas y explicativas, coherencia y cohesión textual

1. Las oraciones de relativo se llaman así porque su conector es un relativo. También son conocidas como *adjetivas* porque normalmente complementan a un nombre o a un sintagma nominal como los adjetivos en la oración simple *(el puente colgante ➜ el puente que pende de dos extremos en medio de la bahía)*. Con *lo {que/cual}*, lo complementado puede ser la oración principal *(No viene hasta el martes, lo que no me parece bien)*. El constituyente de la oración principal complementado por la oración de relativo es su *antecedente*.
2. Como complementos de un nombre, las oraciones de relativo aportan una información que aparece en un segundo plano. Cuando la relativa es *especificativa* identifica o restringe la extensión del antecedente, aclarando a qué elemento (o elementos) de todo el conjunto se refiere el hablante *(Los árboles que crecen en esa ladera los trajeron de aquel vivero)*. Cuando es *explicativa*, la relativa no cumple esta función distinguidora, se limita a proporcionar una información adicional sobre el antecedente, que el hablante quiere que se tenga en cuenta para caracterizarlo *(Juan, que es amigo de Laura, ha empezado a trabajar en Fenosa)*.
3. Aparte de por su significación, especificativas y explicativas se distinguen entonativamente: entre las primeras y el antecedente no hay pausa, por lo que no se introduce signo de puntuación alguno; las explicativas, por el contrario, vienen detrás de una pausa y un signo de puntuación, casi siempre una coma.
4. El modo habitual de las relativas es el indicativo. Cuando se trata de explicativas este es el único modo posible, salvo excepciones como *Juan, a quien mal rayo le parta*, explicable porque incluye una frase hecha con subjuntivo.
5. En las especificativas, el indicativo representa al antecedente como alguien o algo existente y definido *(Estoy buscando a un estudiante que es de Suecia)*. Con subjuntivo, el antecedente se representa como alguien o algo inexistente, dudoso o/e inconcreto *(Estoy buscando a un estudiante que sea de Suecia, No quiero a mi lado gente que hable mal de los demás)*. También hay especificativas con infinitivo, dependientes de unos pocos verbos, cuyos antecedentes son inconcretos y solo posibles como objetivos que se persiguen *(Necesito personas en quien confiar)*.
6. Esta relación entre antecedente inexistente, dudoso o inespecífico y oración de relativo con subjuntivo o infinitivo se manifiesta cuando el antecedente es un indefinido: *No encontré a nadie que lo hubiera visto, Quiero alguien que conozca este programa, No tengo nada que ofreceros, Tengo algo que contar.*
7. La distinción especificativo/explicativo es aplicable también a los adjetivos *(los ojos azules/tus ojos azules)*. En el adjetivo, la distinción carece de las repercusiones en la entonación de las relativas y el adjetivo explicativo (*epíteto* en la literatura) no va separado por comas. El adjetivo que aparece entre comas *(Noelia, llorosa, se encerró en su habitación)* sirve, como inciso, para indicar una circunstancia referida a un nombre.
8. Si no ayuda la entonación ni la puntuación, distinguir entre adjetivo especificativo y explicativo pide la interpretación sobre la capacidad distinguidora del adjetivo en cada ejemplo concreto. La capacidad de un adjetivo para solo explicar, esto es para resaltar un rasgo del nombre sin propósito distinguidor, tiene mucho que ver con que pertenezca a la clase de los adjetivos *valorativos (fruta dulce)*, llamados también calificativos, y caracterizados por significar cualidades de percepción generalmente subjetiva. Mucho más difícil lo tiene para funcionar como adjetivos explicativos la otra gran clase de los adjetivos, los *descriptivos*, o *relacionales*, que relacionan su nombre con otro *(fruta mediterránea ➜ fruta del Mediterráneo)*.

9. La colocación normal de los adjetivos complementos del nombre es detrás de este, cuando se coloca delante adquiere un sentido especial, más emotivo *(la dulce fruta/ la fruta dulce)*. Por esto mismo, la anteposición del adjetivo es propia sobre todo de los adjetivos explicativos y valorativos; y extraña en los especificativos y descriptivos.

10. El conjunto de los relativos está formado por los pronombres *que, quien;* el adjetivo sustantivado *el cual,* el adjetivo posesivo *cuyo* y los adverbios *donde, cuando* y *como. Cuanto* ocupa un papel especial. Todos los relativos toman su referencia de su antecedente, que puede aparecer o estar omitido en la oración principal *(La persona que bien te quiere mucho te hará llorar, Quien bien te quiere mucho te hará llorar)* y cuyo contenido hacen presente en la oración subordinada. Dentro de esta el relativo cumple una doble función: conector y la propia de su condición de nombre, adjetivo o adverbio (según cada caso).

11. *Que* es el relativo de más uso *(Esa es la playa en que veranea Isabel),* sobre todo, en las especificativas y, especialmente, cuando está presente el antecedente. Cuando todo esto ocurre y el relativo no lleva delante preposición alguna, *que* es el único relativo posible *(La chica que está sentada es Margarita).*

12. *Que* coincide, a su vez, con la conjunción más importante, *que (Nos dijeron que había una oferta de ordenadores en el Corte Inglés).* Ambos son idénticos formalmente, se diferencian porque el primero es un pronombre (necesita un antecedente) y el segundo, una conjunción; el primero introduce oraciones subordinadas adjetivas y el segundo, sustantivas.

13. *Que* relativo desempeña en la oración subordinada cualquier función propia de un nombre. A menudo, esta función exige la presencia de una preposición generalmente seguida del artículo *(Los libros de los que habla giran siempre alrededor de lo mismo).*

14. *Que* admite, por tanto, ir con un artículo coincidente en género y número con su antecedente. A veces, esto ocurre porque se ha omitido el antecedente, el cual puede recuperarse siempre que se desee: *El que bien te quiere mucho te hará llorar.* → *El hombre que bien te quiere mucho te hará llorar.* Sin embargo, en otras no es posible tal recuperación y debe pensarse, como en francés y como en *el cual*, en un relativo compuesto formado por el artículo y *que (Todavía conservo las botas con las que subí al Almanzor.* → **Todavía conservo las botas con las botas que subí al Almanzor).*

15. *Quien* exige que su antecedente sea una persona *(La niña a quien socorriste en el accidente se llamaba Inés).* De aquí se deriva que no tolere el artículo, que no pueda funcionar como sujeto en las oraciones especificativas y que con mucha frecuencia su antecedente se omita *(Anda con quien puedas aprender).*

16. *El cual* (que varía según el género y el número del antecedente) presenta algunas restricciones importantes: no puede aparecer con el antecedente ausente (frente a los demás relativos), tampoco es posible en las relativas especificativas si no lleva delante preposición (como *quien*). Sin embargo, su propia naturaleza le permite un mayor alejamiento de su antecedente *(Los diputados, una buena cantidad de los cuales no asistía ni a los plenos, decidieron subirse las dietas),* lo que se traduce en que las oraciones con este relativo puedan ser muy independientes *(Aseguró que no iba a hacerlo. Dicho lo cual, se fue tan tranquilo).* También *el cual* es el relativo de la preposición *según* y de las locuciones prepositivas *(Según el cual, {alrededor/dentro/detrás...} de los cuales).*

17. *Cuyo* es un relativo propio de la lengua culta (en la hablada apenas se emplea, sustituido en ocasiones por el vulgar *que su*). Como adjetivo posesivo establece una relación de dependencia entre el nombre con el que concierta en la oración subordinada y su antecedente: *Ese es el chico cuya moto fue destrozada.* → *Ese es el chico + la moto del chico fue destrozada.*

18. *Donde, cuando* y *como* son adverbios relativos de lugar, tiempo y modo, respectivamente. Tales contenidos condicionan cuáles pueden ser sus antecedentes, casi siempre omitidos, salvo en el caso de *donde: Ardió el bosque donde habíamos estado la semana pasada, Llegó (entonces) cuando ya nadie lo esperaba, Murió (del modo) como había vivido.*

19. *Donde* admite diversas preposiciones que precisan el tipo de complemento de lugar de que se trata: origen *(Llegó de donde estaban sus amigos),* lugar por el que se pasa *(Llegó por donde creía más corto)* o meta *(Llegó a donde lo esperaban sus amigos).*

20. *Cuando*, que equivale a 'en el momento en que', y *como*, que equivale a 'del modo que', desarrollan diversos valores que los alejan, a veces, de su papel de adverbios relativos. Esto es especialmente cierto con *como*.

21. *Cuanto* es un relativo bastante particular, con usos en los que deja de serlo al perder su relación con antecedente alguno *(Cuanto más hagas hoy, menos trabajarás mañana)*. Como relativo, parece que una parte de su significación pertenece a la oración principal y solo la segunda de ella a la subordinada. Lo caracteriza la idea de cantidad, de modo que en su contenido están siempre presentes el indefinido *todo* y el relativo *que (Trae cuanto puedas.* → *Trae todo lo que puedas)*. Como relativo puede funcionar como un adjetivo cuantificador que concuerda con el nombre que cuantifica *(Se bañó cuantos días fue a la playa.* → *Se baño todos los días en que fue a la playa)* o como un complemento circunstancial de cantidad *(Luchó cuanto pudo.* → *Luchó todo lo que pudo)*.

22. Existen unas construcciones de relativo que sirven para enfatizar alguna información *(Hay que ver lo inteligente que es, Son insoportables las mentiras que suelta)*. Un tipo muy característico de construcción de relativo enfática lo constituyen las *perífrasis de relativo*. Su estructura se ajusta al esquema, sin un orden fijo: SUJETO + CÓPULA + SUBORDINADA DE RELATIVO SIN ANTECEDENTE *(Ella fue quien lo hizo, La que lo hizo fue ella, Vitoria es donde trabaja Melisa)*.

23. La coherencia de un texto depende básicamente de que todo él responda a un fin global y a que el oyente lo reconozca como tal. Para que esto ocurra, el hablante debe distribuir adecuadamente su información organizándola de acuerdo con ciertos principios de orden mental: mantener un mismo tema, dosificar la proporción de información conocida y nueva, seguir un esquema, adecuar su estilo a los factores comunicativos (marco, destinatario, tipo de texto, finalidad...). Como un texto es un producto verbal, el hablante debe valerse de determinados recursos lingüísticos cohesivos (expresiones pronominales, conectores textuales, relaciones léxicas...), que comparten la capacidad de unir un nuevo enunciado con otro anterior.

Unidad 8: La conquista

El discurso referido

1. A veces, utilizamos la lengua para hablar del mundo que nos rodea *(Está lloviendo)*; pero, en otras ocasiones, para hacernos eco de pensamientos y palabras, generalmente, ajenas. Estas pueden reproducirse de múltiples formas que van de la cita literal *(Me dijo literalmente: Pedro ha dejado de ser mi amigo)* a otros procedimientos en los que las palabras o pensamientos se recogen de modo más encubierto *(Se sinceró conmigo contándomelo todo)*.

2. Lo interesante del discurso referido es que en él no solo se recogen pensamientos o palabras ajenas sino también se interpretan, empezando por el propio acto de producir esos pensamientos o palabras de las que nos hacemos eco *("Me arrepiento por completo de haberlo hecho" –confesó avergonzado)*.

3. La lengua cuenta con diversos procedimientos para indicar el origen externo de esas palabras o pensamientos *(Como dice mi abuelo, el que no se fía no es de fiar)* o marcar una distancia frente a ellos *(¿Cómo que mañana te vas al cine?)*.

4. Los dos procedimientos principales de reproducción de las palabras ajenas son el *estilo directo* e *indirecto*. En el estilo directo se da la apariencia (casi nunca la realidad) de que están citándose literalmente las palabras de otro. Para ello se mantienen las personas, tiempo y espacio del mensaje original. En la lengua escrita se emplean las comillas *(Hace quince días me juró: "A partir de mañana dejo el tabaco, al menos mientras esté aquí")*.

5. En el estilo indirecto se da una transformación del mensaje original que se convierte en una oración subordinada de objeto directo introducida por *que* y dependiente de un verbo de comunicación *(Hace quince días me juró que al día siguiente dejaría el tabaco, al menos, mientras estuviera en aquel lugar)*.

6. Tal transformación afecta a las personas, tiempo y lugar del mensaje original, acomodándolos a los del nuevo emisor que lo reproduce *(Yo estoy en mi casa. → Me dijo que él estaba en su casa).* Puede decirse que el estilo indirecto altera la forma del mensaje literal, pero mantiene (así se pretende hacer creer) el fondo.

7. Existe la posibilidad de combinar ambos estilos *(Me gritó que lo dejaba, que estaba –literalmente– "hasta las narices").* En los textos escritos, sobre todo, literarios, existen otros procedimientos de reproducir las palabras o contenidos de conciencia ajenos como el estilo indirecto libre *(Se quedó en silencio. Se sentía incomprendido. Mi padre nunca me había respetado).* En él, no hay verbo de comunicación alguno ni conjunción *que;* y se entremezclan lo literal con las transformaciones propias del estilo indirecto.

Unidad 9: Los sueños

Hipótesis, supuestos y deseos

1. La comunicación del carácter provisional, solo probable, hipotético de un enunciado que, a veces, solo debe tomarse como un supuesto es tarea de los futuros de indicativo *(cantará, habrá cantado),* de los condicionales *(cantaría, habría cantado),* del imperfecto de indicativo *(cantaba),* que constituyen lo que algunos denominan *modo irreal.*

2. También contribuyen a esta función perífrasis verbales *(Deber de* + INFINITIVO, *poder* + INFINITIVO, *venir a* + INFINITIVO) y ciertas construcciones con subjuntivo *(Es posible que llegue tarde, Capaz que se haya ido ya).*

3. *Poder* + INFINITIVO expresa 'probabilidad' *(Pueden ser seis los invitados),* igual que *puede que* + SUBJUNTIVO *(Puede que sean seis).* También 'autorización para...' *(Puedes salir esta noche hasta las 12)* o 'capacidad' *(Puede hacer los 100 m lisos en 10 seg).*

4. Existen diversas expresiones adverbiales para manifestar, con diversos grados, que el hablante no puede afirmar con seguridad la situación o suceso a la que se refiere: *tal vez, quizá, a lo mejor, posiblemente, seguramente, probablemente, lo mismo, igual.* Pueden combinarse con indicativo y subjuntivo *(Tal vez {viene/viniera}).*

5. Existen determinados verbos en presente de subjuntivo y en primera persona del plural *(pongamos/supongamos/imaginemos/digamos)* que introducen suposiciones. Tales suposiciones, sin ser necesariamente reales, pues se presentan como imaginarias, cumplen un papel en relación con la realidad *(Pongamos que llegan a las seis).*

6. Muy próxima a estos contenidos se halla la expresión de los diversos tipos de deseo con el condicional o el imperfecto de indicativo *(Me comería un bocadillo de jamón de bellota, Ahora mismo me comía un bocadillo de jamón de bellota).* Asimismo, existen construcciones con subjuntivo *(Ojalá llegue a tiempo, Que te vaya muy bien).*

7. Con el condicional simple, por muy problemático que sea el cumplimiento de un propósito, todavía hay alguna posibilidad. Esto no ocurre con el condicional compuesto *(cambiaría de coche/me habría cambiado de coche).*

Unidad 10: El dinero

Las condicionales

1. No es fácil reducir a un contenido común los múltiples tipos de oraciones condicionales, esto es, las que cuentan con un *si* condicional o equivalen a ellas *(Si lo intenta, lo conseguirá. ↔ Lo conseguirá, a poco que lo intente).* El esquema básico de las oraciones condicionales es una oración compuesta

formada por una oración subordinada (la condición o *prótasis*) que encierra un supuesto o hipótesis, y una oración principal (el condicionado o *apódosis*), cuyo cumplimiento se vincula a que se produzca la subordinada. De este modo, entre la oración subordinada y la principal se da una implicación interpretable en términos de CAUSA *(Si lo intenta)* → CONSECUENCIA *(lo conseguirá)*.

2. Las condicionales pueden aparecer en primera o segunda posición. Cuando se antepone la subordinada condicional se convierte en el marco dentro del que hay que entender la información siguiente *(Si llegamos a un acuerdo con el profesor, no entrarán los últimos temas de gramática)*. Su posposición, por contra, la convierte en una restricción inesperada (para el oyente son informaciones nuevas) de lo primero *(No entrarán los últimos temas de gramática, si llegamos a un acuerdo con el profesor)*. Otro factor que influye en la posposición de la oración condicional es la extensión del conector, su *pesadez* la favorece.

3. Según el grado de probabilidad de cumplimiento de la condición pueden distinguirse cuatro grandes tipos:

   a. *Reales* Las más reales son aquellas en las que la condición no es una hipótesis, una suposición sino un hecho, por lo que el hablante se siente respaldado para predecir el futuro *(Con ese expediente, encuentras trabajo en seguida)*. También son reales aquellas condicionales en que se enuncia una relación entre un hecho general y su consecuencia *(Si tienes dinero, se te abren todas las puertas; A 100º grados, el agua hierve)*. A veces, la condición segura es alterable (lo que puede responder al deseo del hablante) *(Con esa cara, no vas a conseguir nada* → Cambia de cara). Este último ejemplo nos lleva al segundo tipo de condicional.

   b. *Reales* (parcialmente). Siempre hay algo hipotético hasta en la condición más segura y el hablante percibe el desnivel entre lo que siente que debe suceder y lo que puede ocurrir en este mundo ilógico. Aparte de que la construcción siempre pesa (sobre todo cuando aparece *si*), y nunca es completamente evidente la interpretación como segura de una condición. Por eso, existen las condicionales reales (parcialmente). En ellas, la condición, que refiere un hecho (p.e., un comportamiento), ya es segura, está comprobada; pero no que tal hecho se mantenga o se dé esa consecuencia, ambos pertenecen a lo *posible probable (Si sigues así, lo conseguirás, Portándote así, llegarás lejos)*. A veces, la inseguridad se traslada a la propia condición ('Si esta se da, la consecuencia es segura') *(Si me ascienden en la empresa, cambio de coche)*.

   c. *Posibles*. En estas, el grado de realidad de la condición o de su consecuencia se rebaja. De acuerdo con el tiempo o el modo verbal con que se combinan pueden ser más o menos probables *(Si tengo vacaciones/si tuviera vacaciones, me {iba/iría} a Canarias)*.

   d. *Imposibles*. Son aquellas condiciones que ya no pueden producirse, bien porque el tiempo de cumplir esa condición pasó *(Si lo hubiera sabido, de haberlo sabido)*, bien porque la realidad es inmutable *(Si fuera el rey, también me iba a esquiar a Suiza cuando me apeteciera)*.

4. *Si* es el conector condicional más importante, admite indicativo y subjuntivo. El principio que rige la presencia de uno u otro modo tiene mucho que ver con la clase de condicional de que se trate. El indicativo se vincula a cuanto más real sea esta, esto es, más seguro su cumplimiento y mayor sea la experiencia acerca de ella *(Si ha llegado ya, ha sacado al perro)*. El subjuntivo, por el contrario, con la improbabilidad o imposibilidad de la condicional *(Si fuera rico, me compraba una casa en un pueblo perdido)*.

5. Cumplido el requisito que posibilita su presencia, cualquier forma de indicativo es válida en la condicional, con la excepción de condicionales y futuros *(*si tendría..., *si tendré...)*. En la oración principal, es posible cualquier tiempo o modo verbal, según los valores de estos *(Si tienes un hueco, mírame el escrito)*.

6. En subjuntivo, referida al presente o al futuro, la condicional va en imperfecto y lo condicionado, en condicional *(Si le dieran alcohol, se volvería loco)*. Cuando se refiere al pasado, la condicional elige el pluscuamperfecto y lo condicionado, el pluscuamperfecto también o el condicional compuesto *(Si le hubieran dado alcohol, se habría vuelto loco)*.

7. En estas condicionales de subjuntivo se dan más posibilidades en la lengua coloquial *(Si te callaras, estabas más guapo, Si hubiera aprobado, había llamado ya, Si te hago caso, meto la pata bien metida, Si llego a saberlo, no voy)*.

8. *Si* puede ir acompañado de adverbios y locuciones adverbiales que restringen el alcance de la condición. *Solo, únicamente, excepto* y *salvo* tienen un carácter exclusivo: la condición únicamente se da en este caso *(Solo si tienes pasaporte, puedes ir a Turquía). Más, máxime, ni siquiera* y *sobre todo* restringen en el sentido de destacar la circunstancia que más favorece el cumplimiento o incumplimiento del hecho condicionado *(No querrá, más si le vienes con esa propuesta, No querrá, ni siquiera si le vienes con esa propuesta)*. La restricción de *al menos* o *por lo menos* consiste en señalar la condición mínima para el cumplimiento del suceso o situación condicionado *(Al menos si lo deseara, yo estaría tranquilo)*.

9. No acaban aquí los conectores condicionales más precisos y, por tanto, de empleo más limitado que *si*. Entre su extenso número se encuentran: *a condición de que, con la condición de que, a no ser que, a poco que, como, con (tal de) que, en (el) caso de que, mientras...* Todos ellos exigen subjuntivo.

10. Son posibles condicionales con infinitivo *(Lo habría llamado, de haber sabido su enfermedad)* y gerundio *(Cantando, habría llegado lejos)*.

11. Asimismo, determinadas estructuras no condicionales pueden interpretarse como tales, gracias a los tiempos y modos verbales y a los conectores que aparecen *(Báñate en esa agua helada y saldrás nueva; Te llevaré, pero has de terminar tus tareas)*.

Unidad 11: La mitología

Oraciones causales y finales

1. Muchos mensajes se utilizan para la expresión de causas *(Vas a quedarte quieto aquí porque no sabes la dirección)* y fines *(Vas a quedarte quieto aquí para que puedan encontrarnos)*. Causas y fines sirven para que el hablante pueda explicar, justificar, excusar pensamientos, sentimientos, palabras o hechos propios o ajenos.

2. Estas actividades pueden aparecer dentro de una conversación *(A: – ¿Vienes? B: – Es que me esperan)* o del discurso de un solo hablante. El contexto, la entonación pueden bastar para la expresión de una causa o finalidad *(A: – ¿Por qué estás tan sudando? B: – He estado cavando en el jardín, Vengo sudando, he estado cavando en el jardín)*; pero a menudo se necesita una determinada construcción gramatical con su conector. Las más características son las subordinadas causales y finales.

3. Las subordinadas causales expresan el motivo por el que se produce la oración principal, tanto del acto de su enunciación *(Esa carretera es muy peligrosa, porque ha habido muchos accidentes)* como del hecho que en sí mismo encierra *(Esta carretera es muy peligrosa porque tiene mucho tráfico y muchas curvas)*. Dado que los motivos anteceden a sus efectos, cronológicamente la subordinada es anterior a la principal, aunque no sea difícil encontrar ejemplos que parezcan contradecirlo *(Hoy he ido a comprar, porque mañana habrá mucha gente)*.

4. Las causales pueden ir unidas a la oración principal sin pausa alguna *(Lo hago porque quiero)* o separadas de esta por una pausa *(Ya que no me necesitas, me voy)*. Este hecho tiene que ver con que el hablante se limite sin más a señalar un hecho y su causa, entonces no hay pausa; o con que desee que el oyente se fije en la causa, por destacarla o porque no está muy seguro de ella (es solo una posibilidad) o/y está dispuesto a discutirla. En este segundo caso aparece la pausa marcada por el signo de puntuación.

5. El conector causal más importante es *porque*. *A fuerza de, como, dado que, debido a que, gracias a que, pues, puesto que, que, visto que, ya que...* son otros conectores causales de un contenido más específico que el general *porque*. Todos los conectores causales van con indicativo, excepto *porque* que, en alguna ocasión, puede ir con subjuntivo. *Que* causal es propio de la lengua hablada *(Calla, que no me entero)*.

6. *Porque* pide subjuntivo cuando se niega una causa *(No se quedó en casa porque estuviera enferma, sino porque le dio la gana)* o no hay seguridad acerca de ella *(Ojalá no se halle en casa porque esté enferma, Se quedó en casa, fuera porque estuviera enferma o le diera la gana)*.

7. Al igual que *a fuerza de que, gracias a que* o *no {sea/fuera} que; porque* + INDICATIVO puede construirse con infinitivo cuando el sujeto de la principal y de la subordinada coinciden *(Suspendió porque no entregó el trabajo a tiempo. ↔ Suspendió por no entregar el trabajo a tiempo). De* + INFINITIVO puede indicar igualmente causa *(Enfermó de beber a todas horas).*

8. *Porque, debido a, gracias a,* convertidos en preposiciones o locuciones prepositivas, pueden dar lugar a complementos de causa con un sintagma nominal *(Suspendió por su tardanza, Gracias a su perseverancia lo consiguió).*

9. Las causales con *porque* o *pues* normalmente van detrás de la oración principal *(Hizo una mala carrera porque no calentó lo suficiente, No estaba contento, pues no habían salido las cosas bien).* Con *como* ocurre lo contrario *(Como no calentó lo suficiente, hizo una mala carrera).* Los otros conectores causales admiten, generalmente, las dos posiciones; aunque exista una preferencia hacia la primera posición explicable porque con ellos la causa adquiere un relieve especial.

10. Las subordinadas finales expresan el propósito de la actividad o situación representado en la oración principal *(Le cantó una nana al bebé para que se durmiera).* Contrariamente a las causales, las finales son posteriores a la principal, pues, en su cumplimiento, los hechos preceden a sus fines. Además, los fines no tienen existencia real cuando se conciben, de ahí que las finales vayan en subjuntivo *(Lo hizo con la intención de que te enteraras).*

11. Como en las causales, solo que de modo más exigente, las finales se construyen con infinitivo cuando su sujeto coincide con el de la principal *(Leyó dos veces el artículo para enterarse bien, Se marchó a conocer mundo).*

12. *Para que* es el conector principal de las subordinadas finales. Además, existen otras locuciones conjuntivas, propias de la lengua culta, bastante transparentes en cuanto a su significado final: *con el fin de que, con el propósito de que, con el objeto de que, con vistas a que... De {forma/ modo} que* adquiere un sentido final con subjuntivo *(Lo hizo todo por la mañana de modo que pudiera tener la tarde libre). Que,* como en las causales también, se emplea en la lengua hablada como conector final *(Acércate, que te quite ese hilo).*

13. Causales y finales, a veces, se aproximan mucho lo que dificulta el análisis. Esto sucede con *no {sea/ fuera} que,* que introduce un suceso futuro y temible, que debe evitarse, lo que puede entenderse como una causa o una finalidad *(Recoge la ropa no sea que llueva).* Hasta *porque* con subjuntivo adquiere un valor final, que repercute en su ortografía: *Lo hizo por que fuera feliz.*

14. La invasión de lo final por lo causal (inexistente en el sentido contrario) se agrava en el caso de *por* y *para.* En teoría las cosas están claras: *por* es una preposición ligada a las causas *(Lo hago por ti)* y *para,* a los fines *(Lo haga para tu felicidad).* Sin embargo, en la vida real causas y fines se confunden, de ahí que sean posibles usos de *por* (o *porque*) en lugar de *para* (o *para que*) interpretables como finales ya que representan hechos posteriores a la oración principal *(Se lo ocultó por no disgustarla, Ha trabajado por conseguir unos objetivos, No ha hecho nada por que estuvierais a gusto).*

15. Puesto que en todos estos casos es posible *para,* lo que no sucede al revés *(El cuadro se pintó para exponerse en la iglesia. ↔ *El cuadro se pintó por exponerse en la iglesia),* es importante mantener la relación *por* y causa, y *para* y finalidad, y atenerse a ella a la hora de usar ambas preposiciones. Cuando nos encontremos con enunciados donde *por* invada el terreno de *para,* habrá que entenderlos como muestra de una reinterpretación de fines como causas.

16. Igual que sucede en otros casos como las condicionales, existen ejemplos de finales en los que la finalidad se pierde a favor de la simple expresión de un contraste entre oración principal y subordinada *(Me he pasado el día entero cocinando para que me digas que vienes sin hambre).* Generalmente cuando esto sucede, y este es un factor que lo potencia, entre principal y subordinada existe pausa, y la subordinada se antepone *(Para que te enteres, me han llamado de la empresa, Mi primo albañil se ha comprado un nuevo piso, para que luego digan que vale para algo estudiar).*

Unidad 12: Las etapas de la vida

Perífrasis verbales

1. Las perífrasis verbales son combinaciones formadas por un verbo *auxiliar*, que se conjuga, y un verbo *principal*, en infinitivo, gerundio o participio *(Viene diciéndolo desde hace tiempo)*. Entre medias de ambos, en algunas perífrasis de infinitivo, es posible alguna partícula subordinante *(Tengo que decírselo, Acaba de llegar)*.
2. El verbo auxiliar es el responsable de la información gramatical de la combinación; el principal, del significado léxico de toda ella, de modo que la perífrasis se considera una forma del verbo principal *(Tienes que decírselo. → Díselo)*.
3. Así, las perífrasis pueden verse como un sistema verbal terciario que aporta informaciones que las formas simples y compuestas del verbo no consiguen por sí mismas indicar *(Hace los deberes, ha hecho los deberes, va a hacer los deberes, está haciendo los deberes, lleva haciendo los deberes un rato, acaba de hacer los deberes)*.
4. Esta pertenencia a las formas del verbo principal es decisiva para la existencia de la perífrasis, que debe percibirse como una unidad y no como la suma de dos verbos. Para determinar si existe perífrasis, por tanto, si hay unidad, casi siempre debe acudirse al contexto, no basta con la simple combinación de dos verbos que habitualmente forman perífrasis. Es lo que sucede con *Volvió a insultarme*, que solo será perífrasis si expresa reiteración en el acto de insultar.
5. Para que la unidad perifrástica se dé, el verbo auxiliar ha de proporcionar solo una información gramatical, básicamente, relacionada con el modo o aspecto verbales aplicable al segundo verbo. Ambos han de compartir el mismo sujeto y los mismos complementos determinados por el verbo principal. Para ello, el primer verbo ha debido sufrir pérdidas en su significación. Así, en *Volvió a insultarme* no ha de darse la acción por parte del sujeto de regresar para hacer algo.
6. Las perífrasis pueden clasificarse según la naturaleza del verbo principal en perífrasis de infinitivo *(Dani volvió a llorar)*, gerundio *(Sigue trabajando desde las seis)* o participio *(Tiene arreglada su habitación)*. También se clasifican, según la información gramatical proporcionada por el verbo auxiliar, en: modo *(Vienen a ser unos cinco los invitados)*, aspecto *(Se echó a dormir tan tranquilo)* o voz *(Han sido detenidos los sospechosos)*.
7. Las perífrasis modales transmiten una serie de contenidos que giran en torno del deber y la hipótesis. Así, comunican obligaciones, necesidades, sugerencias o consejos *(Hay que tenerlo para mañana, Debemos decírselo, Tienes que ser más paciente)*, o suposiciones *(Debe de ser Noelia, Vinieron a costar mil euros)*.
8. Las perífrasis aspectuales sitúan el verbo principal en alguna fase de su desarrollo: inicio *(El avión está por despegar)*, medio *(Lleva recorridos 500 km)* o final *(Acaba de aterrizar)*. Cuando la acción se encuentra en su desarrollo, hay perífrasis que indican su repetición *(Vuelve a sonreír tras la operación)*.